L'ABC de l'éducation canine

Les meilleurs entraîneurs dévoilent leurs secrets

Illustrations : Kimball Graphics

Catalogage avant publication de Bibliothèque et Archives Canada

Moore, Arden

L'ABC de l'éducation canine : les meilleurs entraîneurs dévoilent leurs secrets

Traduction de: Dog Training, a Lifelong Guide

1. Chiens - Dressage. I. Titre.

SF431.M8214 2005 636.7'0887 C2005-941218-6

07-05

L'ouvrage original a été publié
par BowTie™ Press,
succursale de Fancy Publications,
sous le titre *Dog Training, a Lifelong Guide*

Dépôt légal : 3e trimestre 2005
Bibliothèque nationale du Québec

ISBN 2-8904-4741-3

DISTRIBUTEURS EXCLUSIFS :

- Pour le Canada et les États-Unis :
  MESSAGERIES ADP*
  955, rue Amherst
  Montréal, Québec H2L 3K4
  Tél. : (514) 523-1182
  Télécopieur : (450) 674-6237
  * Filiale de Sogides ltée

- Pour la France et les autres pays :
  INTERFORUM
  Immeuble Paryseine, 3, Allée de la Seine
  94854 Ivry Cedex
  Tél. : 01 49 59 11 89/91
  Télécopieur : 01 49 59 11 96
  Commandes : Tél. : 02 38 32 71 00
  Télécopieur : 02 38 32 71 28

- Pour la Suisse :
  INTERFORUM SUISSE
  Case postale 69 - 1701 Fribourg - Suisse
  Tél. : (41-26) 460-80-60
  Télécopieur : (41-26) 460-80-68
  Internet : www.havas.ch
  Email : office@havas.ch
  DISTRIBUTION : OLF SA
  Z.I. 3, Corminbœuf
  Case postale 1061
  CH-1701 FRIBOURG
  Commandes : Tél. : (41-26) 467-53-33
  Télécopieur : (41-26) 467-54-66
  Email : commande@ofl.ch

- Pour la Belgique et le Luxembourg :
  INTERFORUM BENELUX
  Boulevard de l'Europe 117
  B-1301 Wavre
  Tél. : (010) 42-03-20
  Télécopieur : (010) 41-20-24
  http ://www.vups.be
  Email : info@vups.be

Gouvernement du Québec – Programme de crédit d'impôt pour l'édition de livres – Gestion SODEC – www.sodec.gouv.qc.ca

L'Éditeur bénéficie du soutien de la Société de développement des entreprises culturelles du Québec pour son programme d'édition.

Nous reconnaissons l'aide financière du gouvernement du Canada par l'entremise du Programme d'aide au développement de l'industrie de l'édition (PADIÉ) pour nos activités d'édition.

Arden Moore

L'ABC de l'éducation canine

Les meilleurs entraîneurs dévoilent leurs secrets

Traduit de l'américain par Jacqueline Lemay

À tous les chiens heureux qui nous rappellent l'importance de rire, de jouer et de faire une bonne sieste à l'occasion. Une pensée spéciale à Crackers, le chien de mon enfance, et à Jazz, mon ami corgi.

Avant-propos

Chers amis des chiens,

Nos animaux préférés ne viennent pas à nous avec un guide d'entretien. En fait, il peut être plus facile de brancher votre nouvelle chaîne stéréo que de conformer à votre vie la conduite de votre chien. Mais vous avez de la chance, car ce livre vous offre l'occasion d'apprendre les méthodes d'entraînement non punitif de cinq femmes entraîneuses célèbres: Debi Davis, Donna Duford, Susan Garrett, Terry Ryan et Sue Sternberg. Après de rigoureuses recherches, j'ai choisi ces personnes parce que chacune d'elle prouve jour après jour qu'il est possible d'enseigner des choses aux chiens d'une manière amusante et positive, sans devoir recourir à la force physique.

Divisé en cinq chapitres, ce livre traite de méthodes d'entraînement basées sur le renforcement positif. Chaque chapitre dessine d'abord le profil d'une entraîneuse de renom avant de révéler les secrets de sa méthode. Cela nous permet d'entrer quelque peu dans sa vie en suivant son cheminement et son expérience professionnelle, puis d'apprendre comment cette personne a pu perfectionner ses propres techniques d'entraînement.

Ce qu'il y a de bien, c'est que beaucoup de renseignements et de trucs que recèle ce livre s'appliquent à tous les chiens. Par exemple, même si vous n'avez pas besoin d'un chien d'utilité, le chapitre qui y est consacré fournit d'excellents moyens d'entraîner le chien de la maison au moyen du clicker.

En tant qu'amis des chiens, nous nous intéressons à toutes les étapes de leur vie, qu'il s'agisse d'adoption, d'éducation ou des soins aux chiens âgés. Peut-être êtes-vous intéressé à vous impliquer dans un sport de performance canine ? Ou peut-être voulez-vous acquérir un chien capable de vous apporter la télécommande ou de vous aider à sortir les vêtements de la sécheuse ? Vous verrez comment un petit chien peut accomplir de grandes choses si on en fait un chien d'utilité. Vous découvrirez comment, avec l'art du compromis, il est possible d'empêcher votre chien de creuser des trous dans le jardin. Vous apprendrez pourquoi il faut repérer la queue qui remue en cercles quand on souhaite adopter un chien dans un refuge. Vous comprendrez pourquoi les classes de maternelle pour chiots sont si cruciales pour le développement social de votre animal. Et vous connaîtrez enfin les secrets qui permettent de transformer un chien sportif en athlète couvert de médailles. Ce livre est celui que vous recherchiez : une référence permanente aux différentes étapes de la vie de votre chien. Il n'est pas conçu pour être lu d'un trait, mais plutôt un chapitre à la fois. Vous y puiserez l'information adéquate au moment où vous en aurez besoin.

Soyons francs : nous aimons nos chiens, même quand ils mâchouillent nos souliers de cuir préférés ou renversent les poubelles. Mais un comportement correct est souhaitable et il est à votre portée. Cela commence par un entraînement approprié. Lisez ce livre et laissez nos entraîneurs vous guider, vous et votre chien, vers une relation plus saine et plus satisfaisante.

— ARDEN MOORE

Les chiens issus d’un refuge : trouver le parfait compagnon

Profil d'entraîneur : Sue Sternberg

Sue Sternberg avait quatre ans quand ses parents sont revenus de la clinique vétérinaire sans Pepita, le schnauzer adoré de la maison. Voyant leurs yeux rougis, elle devina que Pepita ne reviendrait plus. « Pepita souffrait d'une maladie de peau incurable, se rappelle Sue, et on dut l'euthanasier à l'âge de deux ans. C'était la première fois que je voyais mes parents pleurer. »

Dans la maison des Sternberg, à New York, les chiens étaient considérés comme des membres de la famille. Un autre Pepita, un labrador noir, et Minnie, un dachshund, vécurent bien jusqu'à l'adolescence.

La mère de Sue, Norma, oncologue et pédiatre, travaillait auprès des enfants cancéreux, et son père, Stephen, était pathologiste. Maintenant retraités, ils ont gardé le contact avec Sue et sa sœur, Alessandra, psychologue clinicienne. « Dans ma famille, dit Sue, tout le monde est diplômé, sauf moi. Ma mère m'a toujours encouragée à faire ce que je désirais et à m'y donner à fond. Jamais mes parents n'ont regretté que je ne sois pas devenue médecin. »

Sue est le docteur Doolittle des temps modernes. Habile à décrypter le langage corporel des chiens (elle affirme qu'un mouve-

PHOTO PAR JEAN M. FOGLE

ment de queue circulaire est plus amical qu'une queue hissée haut et raide au-dessus du corps), elle devine les caractères et estime les chances de succès des adoptions. Aux États-Unis, elle est considérée comme la meilleure entraîneuse de chiens issus des refuges. Elle commença sa carrière comme contrôleuse des chiens, puis elle passa à l'entraînement à l'obéissance. Elle est aujourd'hui experte en comportement canin, consultante pour les refuges et gérante d'un chenil de pension et d'un refuge pour animaux à Accord, dans l'État de New York.

Sue rend hommage au défunt Ramona, un magnifique chien de refuge qu'elle avait adopté, qui la guida dans sa carrière. Ramona

« Notre but est d'amener le refuge aux gens, plutôt que d'attendre que les gens emmènent trop tard leur animal au refuge. »

— SUE STERNBERG

était issu d'une portée de chiots voués à une mort certaine à cause d'un éleveur frustré. C'est qu'un labrador noir du voisinage s'était accouplé avec un champion danois pure race, donnant une portée de chiots croisés. Quand les petits échouèrent au refuge local, un employé les prit chez lui pour les élever. Un jour, Sue, qui contrôlait les animaux d'un autre refuge, vint les voir, et Ramona était le seul chiot qui n'avait pas encore été adopté. « Dès que je l'ai vu, dit-elle, j'ai su qu'il était pour moi. Nous nous sommes tout de suite très bien entendus et Ramona fut mon premier chien en tant qu'adulte, un chien comme on n'en a qu'une fois dans sa vie. Il vécut jusqu'à l'âge de treize ans. »

Après Ramona, Sue adopta six autres chiens qu'elle baptisa de noms de personnes :

- **Larry.** « Ce bulldog français de treize ans vient de la Société américaine de prévention de la cruauté envers les animaux, de New York. C'est une vraie boule de feu qui s'anime en présence de la plupart de ses congénères. »
- **Vinnie.** « C'est un berger allemand femelle de huit ans que mes amis ont trouvée errant dans la rue en traînant sa chaîne. Communicative, Vinnie est dotée d'un excellent caractère. Je lui ai donné le nom de l'amie qui l'a trouvée. »
- **Carmen.** « Ce rhodesian ridgeback femelle de cinq ans et demi, que je devine moitié doberman pinscher, est mon âme sœur. Quand je l'ai ramenée du refuge en auto, elle s'est assise sur le siège du passager et s'est contentée de me fixer du regard. Vingt minutes plus tard, elle posait une patte sur mon épaule. Comme pour me dire qu'elle venait de trouver le paradis. »

- **Dorothy.** « Le jour où je l'ai vue dans un refuge au Kansas, un lien s'est tout de suite créé entre nous. Hélas, je devais reprendre l'avion pour New York. Deux semaines plus tard, on me l'expédiait et elle tombait dans mes bras à l'aéroport La Guardia. Naturellement, comme elle vient du Kansas, j'ai eu l'idée de l'appeler Dorothy, à cause du *Magicien d'Oz.* »
- **Béatrice.** « Alors que je dirigeais un atelier sur les refuges à Ardmore, en Oklahoma, elle m'a conquise avec son regard doux et gentil. Je l'ai adoptée, mais elle attrapa la maladie de Carré (*distemper*) et faillit mourir. Je crois qu'elle est moitié chien de ferme, moitié border colley. »
- **Hop Sing.** « J'étais en vacances dans un ranch en Utah quand j'ai remarqué ce chien de ferme encore bébé. Son maître, un cow-boy, disait que ce chiot n'avait pas d'instinct et je lui ai demandé si je pouvais le prendre. J'ai passé le reste de mes vacances avec Hop Sing et nous sommes tombés amoureux. »

Sue voyage d'un bout à l'autre des États-Unis, travaillant pour de petits et grands refuges publics ou privés, expliquant comment hausser le taux d'adoption. Elle donne aussi des conférences aux entraîneurs et aux amis des chiens, dans ce style concret et personnel qui vous interpelle.

Lors d'un récent congrès de l'Association américaine des entraîneurs de chiens de compagnie, à San Diego, une foule compacte s'était entassée dans une vaste salle pour l'écouter. Elle était arrivée toute souriante, vêtue d'une jolie robe seyante. À peine s'était-elle emparée du micro que son auditoire était conquis, hypnotisé, amusé et attentif.

Sue mène volontiers d'autres croisades. Par exemple, elle créa récemment le *Training Wheels Outreach Program*, un service d'entraînement itinérant qui permet à des travailleurs des refuges et à des entraîneurs de voyager en fourgonnette dans l'arrière-pays pour y rencontrer les propriétaires de chiens, distribuer gratuitement des accessoires pour chiots et prodiguer des conseils sur l'entraînement. De plus, Sue envisage la création d'un programme national, *En route*, pour aider les gens à être de meilleurs maîtres pour leurs chiens. «Notre but est d'amener le refuge aux gens, plutôt que d'attendre que les gens emmènent trop tard leur animal au refuge. Nous voulons intervenir assez tôt pour qu'un chien ne finisse pas enchaîné dehors. Et nous voulons réduire la surpopulation canine en stérilisant les femelles avant qu'elles soient gestantes.»

Pendant qu'elle parle, Sue sourit en se rendant compte qu'elle perpétue à sa façon la tradition familiale des Sternberg. «Mes parents m'ont enseigné à voir grand et à travailler à rendre le monde meilleur, dit Sue, mais il m'a fallu du temps avant de découvrir comment je pouvais faire. En fait, nous sauvons littéralement des vies et nous améliorons la condition animale.»

Introduction

Vous décidez d'adopter un chien dans un refuge. En passant près des cages pleines de candidats qui aboient, sautillent et remuent la queue, vous vous dites que l'apparence peut être trompeuse: ce mignon toutou pourrait se révéler agressif une fois rendu chez vous. Comment dénicher le compagnon idéal? C'est simple: arrêtez-vous devant celui dont la queue bouge en mouvements circulaires, puis ignorez-le durant deux minutes avant de lui offrir des aliments pour chats (les chiens en raffolent). Ces conseils sont tirés des tests de personnalité mis au point par Sue Sternberg pour aider les travailleurs des refuges et les futurs maîtres à déceler le véritable caractère des chiens inconnus.

Vétérinaire de renom, Leslie Sinclair, ancienne directrice de la section des animaux de compagnie à la Humane Society of the United States, aujourd'hui établie à Montgomery Village au Maryland, assiste depuis 1992 aux conférences de Sternberg. «Sue est l'un des meilleurs entraîneurs de chiens que j'aie vus à l'œuvre, affirme-t-elle. Elle sait observer et interpréter correctement l'attitude corporelle et l'expression faciale d'un chien.»

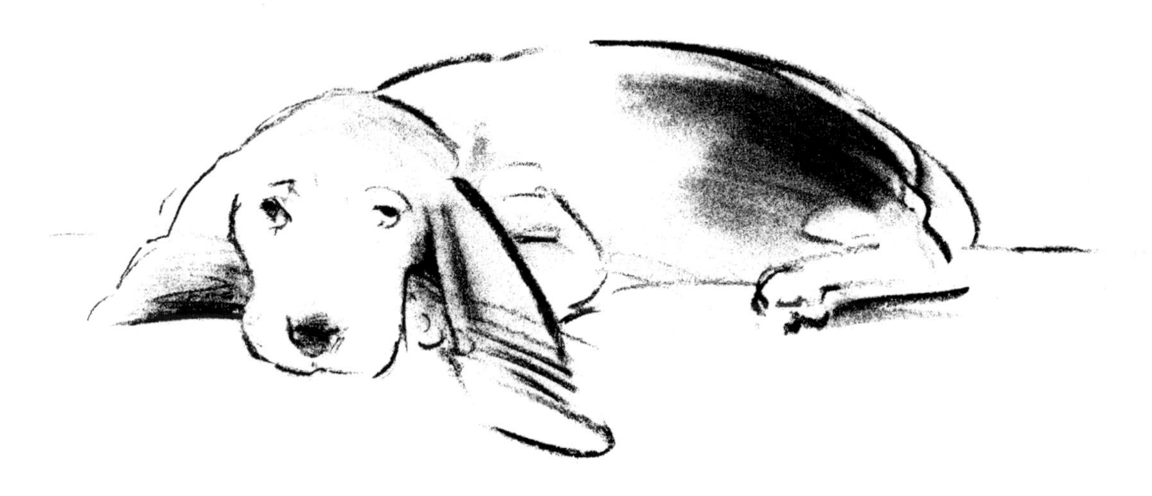

D'après Sternberg, l'identification des intentions réelles d'un chien d'après ses mouvements et ses productions sonores assure les propriétaires éventuels d'une relation parfaite et sécuritaire avec l'animal. « Ne vous bercez pas d'illusions, prévient-elle, certains chiens, dans les refuges, sont carrément dangereux. » Elle sait de quoi elle parle, elle qui passe des journées entières à observer le comportement des chiens dans les refuges. « Je me suis rendu compte que ces animaux ne voient les gens que lors des activités qui les excitent : l'heure du ménage ou des repas, les promenades en laisse et la visite du public. En général, plus un chien reste longtemps dans un refuge, plus il associe la présence humaine à l'hyperactivité et à la stimulation. »

Pour aider à prévenir des unions incompatibles, Sternberg a élaboré une méthode pour l'adoption d'un chien de refuge.

Étape 1 : Faites une autoévaluation

Pourquoi adopteriez-vous un chien de refuge ? Pour sauver une vie ? C'est un motif noble, certes, mais il ne suffit pas. « N'allez jamais au refuge en vous prenant pour un héros du seul fait que vous allez sauver un chien dont personne ne veut. Vous ne feriez que vous créer des ennuis. N'entrez dans un refuge qu'avec le simple désir de choisir un bon chien. Prenez votre temps et soyez sélectif.

Après tout, cet animal pourrait partager votre vie durant une dizaine d'années, voire davantage. »

Analysez honnêtement vos motivations pour savoir si vous pourrez être un bon maître. Répondez aux questions suivantes :

- Travaillez-vous de longues heures pour ensuite vous enfoncer dans un fauteuil une fois rentré à la maison ?
- Devez-vous voyager beaucoup pour votre travail, passer des jours ou même des semaines loin de chez vous ?
- Désirez-vous un chien pour avoir de la compagnie ou pour votre protection ?
- Vivez-vous en appartement ou dans une maison ?
- Possédez-vous une cour clôturée ? Y a-t-il un parc près de chez vous ?
- Êtes-vous disposé à faire chaque jour de longues promenades avec votre chien ?
- Ferez-vous sa toilette et lui donnerez-vous régulièrement un bain ?
- Avez-vous les moyens d'avoir un chien, de lui procurer sa nourriture, des accessoires et des soins médicaux ?
- Pouvez-vous accepter un chien qui ronfle sur votre sofa ?
- Vos projets de week-end comprendront-ils des activités avec votre chien ?

Vous devez désirer un chien pour sa compagnie et non pour protéger des cambrioleurs

votre chaîne stéréo ou un précieux vase hérité de votre arrière-grand-mère. Les systèmes d'alarme sont faits pour cela. Le seul fait d'avoir un chien chez vous dissuadera les voleurs, mais il devrait être avant tout un membre de la famille. Les chiens exigent beaucoup de temps et imposent des responsabilités, aussi devez-vous vous assurer d'être à la hauteur de la tâche qui vous attend avant d'adopter un tel animal.

Maintenant, imaginez votre chien idéal en vous basant sur sa personnalité et non pas sur son apparence. Après tout, la taille d'un chien, son âge et son sexe ne sont pas des caractéristiques aussi importantes que son caractère. Posez-vous les questions suivantes :

- Quel type de chien préférez-vous ?
- Quelle personnalité a ce chien ?
- Quel âge a-t-il ?

- À quoi ressemble-t-il?
- Que le voyez-vous faire quand vous rentrez à la maison?

Étape 2 : Visitez un refuge

Ce serait formidable si tous les propriétaires de refuge évaluaient le caractère de tous leurs chiens destinés à l'adoption, mais ce n'est pas le cas. Les refuges des grandes zones urbaines abritent habituellement une plus grande proportion de chiens dominants, excités et dangereux. Dans de telles zones, vous seriez bien avisé de trouver soit un refuge où travaille un conseiller en comportement, soit un refuge où l'on juge le caractère de chaque chien. Par ailleurs, beaucoup de refuges ruraux reçoivent surtout des chiens de famille soumis, gentils et sociables.

Gardez à l'esprit qu'il existe deux sortes de refuges: ceux, traditionnels, où l'on euthanasie les individus dangereux; et ceux où l'on garde les chiens tant qu'ils ne sont pas adoptés. Malheureusement, les chiens qui séjournent longtemps dans un refuge finissent par se replier sur eux-mêmes ou par devenir agressifs, et sont donc moins susceptibles d'être adoptés. Soyez attentif aux comportements ou aux symptômes indiquant une altération de la qualité de vie de l'animal: le chien marche rapidement et tourne en rond, saute et bondit sur les murs du chenil, se lèche avec véhémence, a des escarres ou des durillons, se couvre de ses propres excréments.

L'âge de la majorité des chiens de refuge varie de six à dix-huit mois — ce qui équivaut à peu près à l'adolescence de l'animal. Ils n'ont plus leur apparence de chiot. Beaucoup sont abandonnés parce qu'ils sautent sur les gens, tirent trop fort sur leur laisse, s'évadent sans cesse et épuisent la patience de leur maître. Heureusement, dans un nombre croissant de refuges, on essaie de rendre ces chiens plus aptes à l'adoption en leur enseignant de bonnes manières et des commandements de base, comme « assis ! », « viens ! », « couché ! ».

Si vous avez des enfants, laissez-les à la maison lors de votre première visite au refuge: il faut vous assurer que le candidat a bon caractère avant de le leur présenter. Leur insistance — « S'il te plaît, papa, nous voulons celui-là ! » — ne doit pas vous pousser à faire un mauvais choix. Une fois que vous êtes prêt à jeter votre dévolu sur deux ou trois chiens, emmenez vos enfants au refuge.

En règle générale, il ne faut pas adopter un chien de plus de deux ans si vous avez une famille, à moins qu'il n'ait été élevé avec des enfants et qu'il se soit bien comporté avec eux. Sachez que les enfants sont les plus exposés aux morsures. Si vous êtes indécis, demandez conseil à quelqu'un qui s'y connaît, un entraîneur expérimenté ou un spécialiste des comportements des animaux.

Étape 3 : Rencontrez les chiens candidats

Entrez au refuge l'air sûr de vous. Ne courez aucun risque et n'excusez aucun comportement indésirable tel que l'agressivité. Si un chien grogne ou se jette sur vous, même une seule fois, passez votre chemin. Excluez aussi celui qui n'arrive pas à se calmer au bout d'une minute en votre compagnie. « Certains trouvent cette méthode trop dure, dit Sternberg, mais il s'agit de déceler à coup sûr les affinités qui vous uniront à un compagnon doux et fidèle. » Ne fixez votre attention que sur les chiens de six mois ou plus : vous aurez une meilleure idée du caractère réel du chien s'il est sorti de l'enfance. Sachez que plusieurs problèmes de comportement, comme la crainte excessive ou la domination, n'apparaissent pas avant l'âge de six mois.

Malheureusement, les chiens ne se présentent pas tous au refuge avec un pedigree ! Beaucoup erraient, abandonnés, et leur passé est un mystère. Demandez donc le plus d'informations possible auprès du personnel du refuge sur l'âge du chien, sa race ou son croisement. Est-il enclin à mordiller ? A-t-il déjà mordu quelqu'un ? Si oui, ne l'adoptez pas. Par ailleurs, si le chien vivait au sein d'une famille, demandez pourquoi on l'a abandonné. Mais soyez prudent : souvent les propriétaires de ces chiens racontent des balivernes. Par exemple, les histoires d'allergies ou de déménagements cachent souvent des problèmes d'agressivité. C'est pourquoi l'évaluation du caractère de l'animal est une étape cruciale.

Bien juger le caractère d'un chien de refuge — ou de n'importe quel autre que vous avez l'intention d'adopter — peut être compliqué, et rien ne vous assure que l'animal se comportera toujours gentiment en tout temps. Les chiens, à l'instar des personnes, peuvent réagir différemment selon les situations. Cependant il est possible d'améliorer vos chances de faire un bon choix en utilisant le test de sociabilité suivant.

TEST DE SOCIABILITÉ EN DOUZE ÉTAPES

1. Marchez de façon décontractée dans le refuge sans négliger les chiens qui se tiennent en retrait. Ne vous laissez pas influencer par la taille d'un chien, sa race, son âge ou la couleur de son pelage. Concentrez-vous uniquement sur son comportement et sa personnalité. Examinez chaque animal et rayez de votre liste tout individu qui refuse de s'approcher pour vous saluer, qui veut se jeter sur vous, qui montre les dents ou ne cesse d'aboyer et de bondir, même si c'est pour vous saluer.
2. Souriez, dites une gentillesse et tendez la main vers tous les chiens qui viennent volontiers au bord de la cage. Le chien idéal se mettra à sauter gaiement en tentant de lécher ou de renifler votre main. Recherchez celui qui plisse légèrement les yeux, bouge la queue en cercles ou qui présente son flanc aux caresses. Tous ces signes sont de bon augure.
3. Quand il ne reste plus que deux ou trois candidats, demandez à un employé de vous laisser seul avec chacun d'eux dans une pièce calme où vous pourrez tranquillement faire connaissance.
4. Pénétrez le premier dans cette pièce et restez debout. Quand le chien entre à son tour, ignorez-le. Un chien vraiment amical s'approchera de vous pour vous toucher gentiment du museau ou vous donner la patte. S'il vous ignore durant plus de deux minutes, s'il se dirige vers la porte ou s'il est si préoccupé par ce qui l'entoure qu'il ne fait pas attention à vous, ne l'adoptez pas. Un chien à la fois charmant et distant n'existe pas.
5. Ensuite, asseyez-vous sur une chaise et ignorez-le pendant deux autres minutes. Les meilleurs candidats viendront droit vers vous pour vous sentir ou même pour grimper sur vous. Écartez le chien qui renifle constamment tout autour et qui agit comme si vous n'existiez pas. Disqualifiez aussi celui qui monte sur vos genoux simplement pour avoir une meilleure vue. Ce chien-là vous exploite : vous êtes son perchoir.
6. Levez-vous et, lentement, sans parler, caressez le chien du cou jusqu'à la base de la queue. Faites une pause et recommencez ces caresses pendant deux minutes. Les arrêts lui permettent de prévoir ce qui suivra et donc d'accepter ou non

vos cajoleries. Or un bon chien devrait rechercher votre attention, voire vos caresses ; il devrait s'approcher de vous, peut-être même se dresser sur le bout de ses pattes ou tourner autour de vous. Éliminez tout candidat qui se raidit, avance brusquement ou nerveusement, cesse de bouger la queue ou recule quand vous essayez de le toucher.

7. Asseyez-vous et appelez-le. Il devrait réagir immédiatement. Passez vingt minutes à lui dire des gentillesses et à le caresser affectueusement. Le chien idéal se calmera à votre contact et vous acceptera avec douceur. Excluez le chien surexcité ou très anxieux, celui dont les pupilles sont dilatées ou qui porte la queue haute sur son dos, celui qui tente de vous mordre. Ce sont là des signes d'agressivité dominatrice, ou les symptômes d'un chien craintif.

8. Si le chien est calme, s'il est sociable et affectueux avec vous, examinez ses dents cinq fois durant cinq secondes. Cette étape est nécessaire pour voir jusqu'à quel point il acceptera de faire une chose déplaisante. Pour ce faire, placez une main sur le museau du chien et l'autre sous son menton. Écartez ses lèvres pour découvrir les dents d'un côté de la gueule. Les mâchoires restent serrées, à moins que le chien halète. Comptez lentement jusqu'à cinq et surveillez sa réaction. Un bon chien n'essaiera pas de se dégager ; il voudra même s'approcher davantage ou se blottir contre vous. Arrêtez l'examen si le chien montre les

Le chien doté d'un bon caractère viendra spontanément vous saluer.

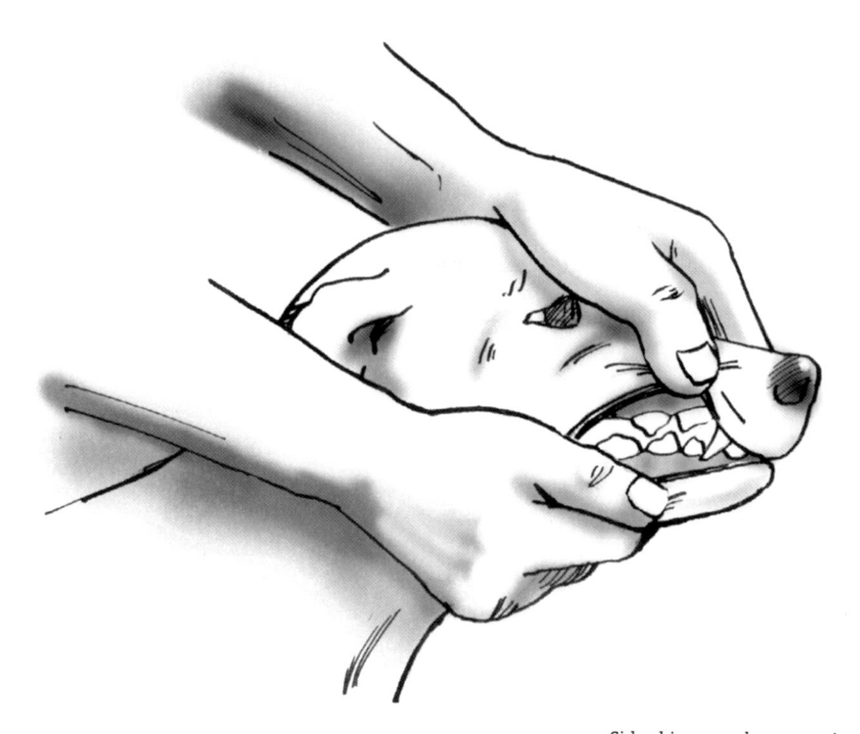

Si le chien a un bon caractère et s'il est calme, évaluez son seuil de tolérance en examinant sa dentition.

dents, grogne, ou s'il ne tolère pas cet examen cinq fois d'affilée.

9. Pour savoir si le chien est trop jaloux de sa nourriture ou de ses jouets, offrez-lui un biscuit et voyez s'il se retire pour le manger. Un bon chien remuera plus vite la queue à mesure que vous vous approcherez de lui, laissera tomber un jouet de sa gueule pour vous faire bon accueil et s'installera à vos pieds ou restera près de vous avec son biscuit. Les mauvais candidats grognent ou vous fixent du coin de l'œil, sur la défensive.

10. Vérifiez ensuite jusqu'où le chien est prêt à aller pour protéger sa nourriture. Videz une boîte d'aliments pour chats dans un bol, puis, pendant qu'il mange, restez près de lui, félicitez-le et observez ses

Tapez dans vos mains et poussez un cri pour éprouver la réaction d'un chien à votre voix.

réactions. S'il se crispe ou s'il grogne, il a raté le test. S'il mange plus vite, agite la queue, s'arrête pour vous regarder ou pour mieux apprécier vos caresses, c'est un chien très sociable. Ensuite, pendant qu'il mange, tendez la main vers son bol, et avant de le toucher retirez-la brusquement comme si vous aviez peur. Répétez la manœuvre trois fois. Si le chien grogne, jappe ou vous décoche un regard menaçant, ou s'il vous bloque l'accès au bol, il a échoué.

11. Allez dehors avec le chien en laisse. Une fois qu'il se sera familiarisé avec les lieux, qu'il aura fait ses besoins et batifolé un peu, faites-le jouer avec un objet quelconque, par exemple une peluche. Un bon chien participera au jeu gentiment. Ensuite, placez le jouet hors de sa portée. Un bon chien devrait oublier ce jouet en

moins de trente secondes pour revenir à vos caresses et se concentrer sur vous. Ne choisissez pas un chien qui grogne, joue avec trop d'intensité et d'acharnement, gémit ou refuse de partager son jouet.

12. Finalement, frappez fort dans vos mains et criez « hé ! » pour détourner l'attention du chien occupé à flairer quelque chose. Cette expérience vous révélera ses réactions au son de votre voix. Un chien sensible et émotionnel se tournera vers vous les yeux plissés, les oreilles pendantes. Il pourra aussi vous donner une petite poussée amicale pour vous regarder dans les yeux, ou s'installer carrément entre vos jambes pour se faire accepter. Ces chiens dociles sont généralement plus faciles à dresser. Un chien agressif tournera autour de vous en grognant ou en essayant de vous mordre.

Le choix d'un terrain neutre est recommandé pour présenter le chien de refuge au chien de la maison.

Étape 4 : Présentez un chien de refuge au chien de la famille

Si vous recherchez un chien de refuge comme compagnon pour le chien de la famille, une présentation en terrain neutre s'impose avant de signer les papiers d'adoption.

Emmenez le chien de la famille au refuge et présentez-lui l'autre chien à l'extérieur, dans un lieu ouvert. Les deux doivent être tenus en laisse. D'abord, laissez amplement d'espace entre eux et faites-les marcher en parallèle, puis laissez-les s'approcher progressivement l'un de l'autre jusqu'à ce qu'ils puissent se renifler réciproquement sous la queue (c'est ainsi que les chiens font connaissance). Relâchez les laisses, mais évitez qu'elles s'emmêlent. S'ils se comportent bien, faites entrer les deux chiens. Attention : veillez à ce que le chien de la famille passe toujours devant. Ainsi, le nouveau venu saura que, pour le moment du moins, l'autre le domine.

Asseyez-vous et observez le comportement des chiens. Certains individus créent des liens en quelques secondes, en quelques minutes ou en quelques heures. Pour d'autres, il faut compter des semaines, voire des mois. Le développement et l'intensité de l'amitié dépendront des deux chiens, mais n'espérez pas le coup de foudre. Souvent, le chien de la famille commence par gronder ou par ignorer le nouveau chien, mais ne le réprimandez pas. Les meilleures relations sont celles où une hiérarchie est clairement établie. Si le nouveau venu accepte son statut inférieur, c'est bon signe.

Ne vous offusquez pas si les deux chiens se perdent dans le jeu et vous oublient temporairement. Cependant, la prudence s'impose si le chien de refuge se met immédiatement à bousculer votre chien de famille ou à gronder pour le détourner de vous. Seul le chien de la famille peut se comporter ainsi, à moins, évidemment, que votre chien soit minuscule et que vous vouliez en adopter un plus puissant et meneur.

Une fois que vous avez adopté un nouveau chien, ne soyez pas trop sévère avec le chien de la famille. N'intervenez pas s'il grogne ou s'il charge (sans le mordre ni le griffer) le nouveau venu : il ne fait qu'imposer sa supériorité, ce qui est normal et sain. Si vous interveniez, votre chien pourrait croire que vous voulez voir l'autre le dominer. Quant au nouveau venu, il pensera que vous l'encouragez à défier son rival. Par conséquent, les chiens pourraient devenir agressifs. Laissez-les donc se débrouiller : ils sont parfaitement capables de clarifier ces situations sans votre intervention.

Bienvenue au paradis des chiots

Profil d'entraîneur : Donna Duford

Comme tout enfant de cinq ans, Donna Duford ne comprenait pas pourquoi le chien de la famille, un beagle femelle, n'avait pas le droit de rester dans la maison. Mais le nom de la chienne, Puddle (c'est-à-dire, littéralement : « flaque de liquide »), expliquait tout : « Mes parents n'arrivaient pas à l'entraîner à la propreté et la chienne urinait dans la maison. Alors, ils lui ont construit une niche en bois, avec un toit goudronné, pour qu'elle puisse vivre dehors. »

Donna a grandi à Hooksett, dans le New Hampshire. Ses parents, Donald et Virginia, exploitaient une ferme d'élevage. De plus, son père était promoteur de construction et sa mère tenait un magasin général. « Mes parents, dit Donna, m'ont inculqué le sens du travail acharné, de la responsabilité et de la vie communautaire. J'ai appris de mon père qu'après un coup dur il faut retrousser ses manches et que la persévérance est toujours récompensée. Ma mère m'a enseigné la bonté envers les personnes et les animaux. Nos tâches ménagères devaient être terminées avant le repas du soir et les animaux nourris avant qu'on s'attable. »

L'avant-dernière d'une famille de six enfants, Donna prenait soin des lapins.

PHOTO PAR DANA CREVLING

« Petite, je rêvais d'être celle qui entre dans la forêt et à qui tous les animaux font confiance instinctivement. » Elle célébrait des funérailles pour les souris, les taupes, pour toute créature qu'elle trouvait morte. Elle enterrait ces animaux dans un petit cimetière, derrière les buissons de lilas. En grandissant, elle se lia d'amitié avec beaucoup de chiens.

Un jour, Donna aperçut un chiot âgé de trois mois, étrange mélange de beagle et de shetland, qui se frayait un chemin entre les autos dans les rues de Manchester (New Hampshire). Le petit chien semblait aux anges et ignorait les appels furieux de son maître. Voyant cela, elle aborda l'homme pour lui dire qu'elle était prête à adopter ce

« Les chiots ne naissent pas éduqués. On doit leur enseigner les bonnes manières. »

— DONNA DUFORD

chiot s'il n'en voulait plus. À ces mots, l'inconnu entra avec Donna dans la boutique où elle toilettait les animaux de compagnie et il lui lança : « Vous voulez cette chienne ? Eh bien, prenez-la, elle est à vous ! »

Avec le recul, Donna dit : « Cet homme ne comprenait pas qu'il se mettait en colère contre ce que les chiots font naturellement : mâchouiller des choses, refuser de venir quand on les appelle et vagabonder. » L'instant d'après, Donna tenait dans ses bras une petite chienne aux oreilles à poils frisés et à la queue ébouriffée qui se tortillait. Elle l'appela Maco et apprit rapidement à canaliser sa vivacité dans les classes d'entraînement où ils eurent du succès. Maco comprit qu'il était plus amusant d'être avec Donna que de fuguer. Elle vécut une douzaine d'années. « Maco m'a fait découvrir

l'entraînement des chiens et fut une âme spéciale pour moi, du genre qu'on ne trouve qu'une fois dans sa vie. »

Aujourd'hui, Donna partage sa maison de San Francisco avec Jett, un border colley de neuf ans, et Kiki, un basset griffon vendéen de dix ans. Grâce à son instinct de meneur, Jett surveille Kiki dans les champs pendant que celle-ci chasse les écureuils et les lapins. « Ils sont arrivés à déterminer qui contrôle quoi dans la maison et ils se retrouvent avec joie même après une brève séparation. J'adore les observer à l'heure des repas. Si Kiki vide son bol la première, elle essaie de pousser Jett pour manger dans le sien. S'il ne reste que des légumes, Jett la laisse faire, mais si c'est du poulet, pas question qu'il renonce à sa portion ! »

Étudier et décoder le comportement des chiens est naturel pour Donna, qui a gravi les échelons, de préposée au toilettage à entraîneuse de chien professionnelle, conseillère en comportement et instructrice. Elle fut directrice du programme d'entraînement canin de la Tufts University School of Veterinary Medecine's (école de médecine vétéri-

naire de l'Université Tufts) et enseigna à l'*Anglo-American Dog Trainer's and Instructor's Course* (formation d'entraîneurs et d'instructeurs) en Angleterre avant de fonder en 1996 le *Companion Dog Training Program* (programme d'entraînement des chiens de compagnie). Ses conférences au congrès de l'Association des entraîneurs de chiens de compagnie attirent tellement de monde que de nombreuses personnes doivent y assister... debout.

« Mon père disait que la persévérance et le travail acharné sont toujours récompensés, dit Donna, et cela s'est avéré pour moi. » Donna, trente-huit ans, est aujourd'hui très occupée, mais elle ne regrette rien. Il y a l'entraînement des chiens, les rencontres d'information sur les aléas des performances liés au comportement, et les classes de danse canine style libre.

« Je suis extrêmement chanceuse de pouvoir gagner ma vie en faisant ce que j'aime. Les bons jours, j'arrive à améliorer la vie des chiens et des gens. Les jours extraordinaires, je sauve des chiens de l'euthanasie en corrigeant leur comportement. »

Introduction

Il n'est jamais trop tôt pour apprendre, et pour les chiots cela devrait toujours être une activité attrayante. « Les chiots ne naissent pas éduqués, dit Donna Duford. On doit leur enseigner les bonnes manières. » Son programme récréatif en quatre points comprend l'enseignement aux personnes et aux chiots, l'incitation à la socialisation et l'initiation aux tours d'adresse. Il s'agit de jouer dans un but positif et de faire de votre chiot un touriste dans votre univers. Plus vous lui ferez vivre des expériences plaisantes et heureuses, plus il sera équilibré à l'âge adulte. En rendant l'apprentissage amusant et positif, vous réduisez les risques de problèmes comportementaux.

Inscrivez-vous au cours Chiot 101

Avant de pouvoir éduquer votre chiot, vous aurez besoin de découvrir ce qui marche le mieux avec lui. Pendant les dix-huit premiers mois de leur vie, tous les chiots suivent le même développement social, physique et cognitif, même si le début et la fin de ces étapes peuvent varier légèrement selon la race et la taille.

DE ZÉRO À DEUX MOIS

Croissance physique. Durant les deux premières semaines, les chiots n'ont que trois sens : le toucher, le goût et l'odorat. Sourds et aveugles, ils ne quittent pas leur mère parce que leur corps n'est pas assez développé pour conserver une température stable. Dès l'âge de quatre semaines, les dents du chiot commencent à percer les gencives. À ce stade, un chiot peut se tenir debout, nager, faire quelques pas mal assurés et agiter sa queue.

Croissance sociale. Au cours du premier mois, les chiots passent 90 % du temps à dormir. Ils émettent un son aigu que seule leur mère peut entendre. À cette étape, ils n'ont de rapports sociaux qu'avec elle. Durant le deuxième mois, les petits commencent à jouer et à inhiber leur désir de mordre.

DE DEUX À TROIS MOIS

Croissance physique. À huit semaines, la plupart des chiots ont toutes leurs dents de lait, ce qui leur permet de manger de la nourriture normale. Leur mobilité s'améliore à mesure qu'ils apprennent à marcher, à courir, à se rouler par terre, à jouer et à se battre. À l'âge de douze semaines, leur système neuromusculaire est bien développé, de sorte qu'ils contrôlent mieux leurs sphincters, ce qui leur permettra éventuellement de devenir propres.

Croissance sociale. Le meilleur moment pour inculquer aux chiots les bonnes manières est entre sept et douze semaines. Tout ce qu'ils voient, entendent, sentent et ressentent à cet âge les marque durablement et détermine leurs réactions d'adultes. Exposez donc votre chien à toutes sortes d'expériences positives. Rendez plaisante la visite chez le vétérinaire en demandant au personnel de lui donner des friandises pour le distraire lors des injections. Durant cette période, ne soumettez votre chiot à aucune opération non urgente qui pourrait le faire souffrir ou le traumatiser.

Conseils concernant l'entraînement. Ayez des contacts physiques avec votre chiot. Touchez souvent ses oreilles, ses pattes et son ventre, et examinez sa gueule. Ainsi, les visites médicales seront plus faciles. Familiarisez-le avec différentes surfaces lisses comme le linoléum ou les planchers de bois. Jouez avec lui et offrez-lui des gâteries. Jugez de ses réactions. Quand il semble confiant, hissez-le sur le lave-vaisselle ou la sécheuse, mais placez-y d'abord une serviette pour faciliter sa première expérience des hauteurs. Si tout va bien, enlevez la serviette. La surface lisse et élevée ressemble à la table d'examen du vétérinaire. Présentez votre chiot à de nombreuses personnes ; emmenez-le partout (voyages en auto, visites aux amis) et stimulez-le avec le bruit de l'aspirateur, les odeurs de cuisson, la présence de chiens âgés et gentils, etc. Inscrivez-vous tous les deux à une classe de maternelle pour chiots qui permet la socialisation dans un contexte positif et structuré. En même temps, enseignez à votre chiot les comportements de base : « Assis ! » « Couché ! » « Viens ! » « Reste ! »

La surface lisse et élevée de la sécheuse lui rappelle la table d'examen du vétérinaire.

DE TROIS À SIX MOIS

Croissance physique. Les chiens de races petites ou moyennes atteignent 90 % de leur stature normale à six mois, alors que les autres chiens continuent à grandir. À six mois, certains chiots peuvent dormir toute la nuit ou contrôler suffisamment leurs sphincters pour passer six heures sans uriner. Certains chiots mâles sont capables de lever la patte pour uriner. Les dents permanentes commencent à surgir à cinq mois et le chiot éprouve alors le besoin de mâcher pour soulager l'inconfort.

Croissance sociale. Durant cette période (souvent appelée « stade juvénile »), les chiots débordent d'énergie et d'enthousiasme, et sont facilement distraits. En même temps qu'ils renforcent leur lien d'amitié avec leur maître, ils osent davantage explorer leur milieu. À ce stade, ils commencent à connaître leur rang social par rapport aux autres chiens et aux gens. Comme ils pratiquent les comportements dont ils auront besoin une fois adultes, leurs jeux deviennent plus sophistiqués. En plus des jeux de poursuite et de lutte, vous les verrez plus souvent se bousculer en grondant et monter l'un sur l'autre pour mimer l'accouplement. Structurez ces jeux et imposez-vous comme chef de meute à la maison pour que votre chiot se sente à l'aise et en sécurité.

Conseils concernant l'entraînement. Usez de patience et de compréhension. Durant cette période, votre chiot, d'ordinaire enclin à exécuter vos commandements, peut temporairement oublier certains comportements élémentaires, comme « viens ! », « assis ! », « reste ! ». Soyez prudent quand vous ouvrez les portes et promenez-le en laisse, car certains chiots de cet âge aiment s'évaporer dans la nature. Faites des séances d'entraînement de dix ou quinze minutes : les chiots n'ont pas une grande capacité de concentration et s'ennuient facilement. Cela dit, des séances amusantes les encourageront à apprendre. Enseignez à votre chien à maîtriser ses impulsions en lui apprenant les mots-clés « laisse ! » et « assis ! » (voir plus loin). Exercez-le à rester assis tant que vous ne lui dites pas d'aller à son bol. Cela lui fera comprendre que c'est vous qui dispensez la nourriture et qui êtes le maître. Récompensez toujours un comportement adéquat par des félicitations et de petites gâteries.

DE SIX À NEUF MOIS

Croissance physique. Au cours de cette période, la plupart des chiots entrent dans une nouvelle phase de mâchonnement. Leurs organes sexuels sont complètement développés, de sorte que les animaux peuvent s'accoupler.

Croissance sociale. Durant cette période s'amorcent la puberté et la maturité sexuelle. Si elles n'ont pas été stérilisées, les femelles ont habituellement leurs premières chaleurs. Quant aux mâles, ils produisent assez de testostérone pour pouvoir s'accoupler. Un mâle entier (non castré) peut marquer son passage en urinant dans la maison ou sur les arbres lors de votre promenade quotidienne pour avertir les autres chiens de sa présence. Cer-

tains mâles peuvent s'adonner à des jeux plus violents avec des congénères, car la testostérone les rend plus agressifs que les femelles.

Conseils concernant l'entraînement. Nous vous recommandons de faire stériliser votre chiot. Canalisez son énergie vers des jeux interactifs et amusants. Inscrivez-le dans une classe d'entraînement pour chiots et montrez-lui à contrôler encore davantage ses impulsions. Familiarisez-le avec les parcs, les plages et tous les lieux où les chiens sont admis.

DE NEUF À DOUZE MOIS

Croissance physique. À un an, la plupart des chiots ont l'ossature bien développée et ils ressemblent physiquement à des chiens adultes. Mais leur intelligence et leur maturité n'ont pas fini de se former.

Croissance sociale. À cet âge, certains chiots peuvent tester leurs limites et même surestimer leurs capacités. Certains n'accourent pas quand vous les appelez parce qu'ils sont trop distraits par leurs jouets ou par leurs copains. D'autres chiots se mettent à aboyer contre les

passants. Les mâles non châtrés peuvent s'arrêter régulièrement durant la promenade et laisser échapper des gouttes d'urine pour avertir les autres chiens de leur présence. Les femelles fécondes peuvent avoir leurs chaleurs. Ne laissez jamais une femelle dehors sans surveillance. Gardez-la en laisse sur votre terrain.

Conseils concernant l'entraînement. Adoptez des techniques d'entraînement et de socialisation cohérentes, et ayez davantage d'interactions positives avec votre chien qui sera bientôt adulte. Augmentez le nombre de ses exercices. Faites deux ou trois promenades par jour, d'au moins quinze minutes chacune, mais adaptez-les aux exigences du chien : certains ont besoin d'une heure d'activités vigoureuses par jour. Initiez votre chien à un sport, par exemple l'agilité (une course à obstacles) ou le frisbee, selon son intérêt et son état de santé. Accentuez les exercices de mémorisation et le contrôle des impulsions.

Soyez un professeur, et non pas un tyran

Le titre de Donna Duford est entraîneuse mais, en réalité, elle est surtout psychologue : elle doit trouver des moyens de motiver les gens et leurs animaux de compagnie. Elle rappelle constamment à ses étudiants que leur attitude influence grandement le comportement des chiots. Ceux-ci réagissent à nos émotions même s'ils ne savent pas, par exemple, ce que signifie la satisfaction ou la frustration. « Quand un chiot s'excite trop, dit-elle, la meilleure façon de le calmer est de vous calmer vous-même. » Les chiots *lisent* nos émotions, ces signaux émis par notre corps.

« Les chiens obéissent aux lois de l'apprentissage. Si vous voulez que le vôtre exécute quelque chose, faites en sorte que cela lui semble logique, et il obéira. » Fondamentalement, les chiots, ainsi que les humains, apprennent mieux quand leurs efforts sont récompensés. Ils ont aussi tendance à éviter ce qui est désagréable. Les chiots vivent dans l'instant présent. Si le vôtre obtient une friandise chaque fois qu'il s'assoit, il sera motivé pour s'asseoir de nouveau. Mais si vous le réprimandez parce qu'il a fait pipi dans la maison pendant votre absence, il apprendra à éviter cette expérience déplaisante en s'abstenant d'accourir vers vous pour vous saluer.

Il n'y a pas une recette unique dans ce domaine, ni de solution magique. Duford propose de nombreuses méthodes d'entraînement par renforcement positif et les gens peuvent choisir celles qui conviennent le mieux à leur chiot. Par exemple, tous les chiens ne sont pas des goinfres, motivés seulement par les gâteries. Certains feraient n'importe quoi pour courir après une balle ou attraper un frisbee au vol ; d'autres ne rêvent que de félicitations et de caresses. Les chiots apprennent généralement rapidement à interpréter les signaux de la main, mais il leur faut plus de temps pour les messages verbaux. « Le renforcement positif, explique Duford, consiste à récompenser le chiot qui réussit bien quelque chose. Les chiots sont des élèves ; nous sommes leurs professeurs. Quand les gens ont compris cela, ils sont plus patients avec leurs animaux. »

Autrement dit, par le renforcement positif nous ignorons les erreurs et récompensons les réussites, si modestes soient-elles.

Enseigner les notions de base

Non signifie « interdiction » ; et oui, « permission ». Accentuez les messages positifs tout au long du dressage de votre chiot. Le oui

peut être verbal ou transmis à l'aide d'un clicker pour inculquer les comportements souhaités. (Voir le chapitre sur les chiens d'utilité pour les rudiments de l'entraînement au clicker.) « Pour façonner un comportement, dit Donna Duford, il faut le faire comprendre rapidement, et pour cela j'aime utiliser un clicker, ou le mot "oui" (beaucoup de gens utilisent le mot anglais *yes* en appuyant sur la consonne finale). Commencez par montrer à votre chiot que le mot signifie quelque chose de positif. Cliquez ou dites oui et offrez-lui une friandise ou un jouet. Répétez cela jusqu'à ce que l'animal associe le son avec la récompense. » Soyez patient et vous obtiendrez de bons résultats. Et pratiquez le synchronisme : un renforcement efficace doit se produire pendant que le chien adopte le comportement souhaité. Une fois cette routine établie, vous pouvez l'appliquer aléatoirement. Ce renforcement exécuté au hasard fera en sorte que votre chiot anticipera constamment et avec joie le moment de la récompense — comme les gens qui jouent aux machines à sous en espérant le gros lot au prochain coup.

Décomposez l'apprentissage d'un nouveau comportement en plusieurs courtes éta-

Enseignez l'ordre « assis ! » en tenant une friandise devant le museau de votre chien et en la déplaçant vers la queue de l'animal à un angle de quarante-cinq degrés.

pes et apprenez au chiot une étape à la fois, progressivement. Et si vous n'arrivez à rien au cours d'une séance, faites une pause et réessayez plus tard au lieu d'insister. Un entraînement cohérent et de multiples interactions amusantes peuvent aider votre chiot à devenir intelligent et heureux.

ENSEIGNER L'ORDRE « ASSIS ! »

Tenez une friandise devant le museau de votre chiot et déplacez-la vers la queue de l'animal à un angle de quarante-cinq degrés. Il la suivra des yeux, renversant la tête vers l'arrière jusqu'à ce qu'il s'assoie. Cliquez et récompensez-le. Recommencez cette manœuvre quelques fois. Puis, montrez-lui la friandise, mais n'attirez pas le chien vers vous. Attendez qu'il s'assoie de son propre chef, puis cliquez et récompensez-le. Répétez cela jusqu'à ce qu'il s'assoie systématiquement dès qu'il aperçoit la friandise. Ensuite, augmentez la durée de la station assise avant de cliquer. S'il se lève avant que vous cliquiez, recommencez. Une fois que le chien obéit avec constance au signal donné par votre main, introduisez le mot-clé, « assis ! », juste avant qu'il s'assoie. Cliquez et récompensez-le.

Si votre chiot ne s'assoit pas la première fois que vous lui montrez la friandise, décomposez l'exercice en petites étapes. Si vos indications sont cohérentes, votre chiot deviendra un expert dans l'art de s'asseoir au signal.

ENSEIGNER L'ORDRE « LAISSE ! »

Tenez une friandise devant vous dans la paume de votre main. Quand le chiot est sur le point de la saisir, fermez la main et retirez-la. Répétez la manœuvre jusqu'à ce que le chiot cesse de s'intéresser à la chose. Ensuite, cliquez et dites : « Attrape ! » Augmentez le laps de temps entre le moment où il tente d'attraper la friandise et celui où vous cliquez.

Ensuite, placez la friandise sur le sol. Si votre chiot s'avance pour la prendre, couvrez-la du pied ou de la main. Quand vous voyez qu'il se désintéresse de la chose, présentez-la-lui en disant : « Laisse ! » Dès qu'il recule, cli-

Enseignez l'ordre « couché ! » en tenant une friandise devant le museau de votre chiot assis, puis en la déposant par terre, entre ses pattes.

quez et dites encore : « Laisse ! » Augmentez progressivement la durée du temps au cours duquel votre chiot doit ignorer la friandise. Pratiquez avec différents objets et voyez si vous pouvez aller jusqu'à bouger tout autour de lui pendant qu'il ignore ces objets.

ENSEIGNER L'ORDRE « COUCHÉ ! »

Commencez quand votre chiot est assis. Tenez une friandise devant son museau, puis déposez-la par terre, entre ses pattes. Il la suivra probablement des yeux et se couchera quand elle touchera le sol. Aussitôt qu'il s'est couché, cliquez et donnez-la-lui. Répétez le processus, mais en le stimulant de moins en moins pour qu'il apprenne à se coucher sans votre intervention. Quand il se couche, dites le mot-clé « couché ! » juste avant de le récompenser. Il établira un lien entre ce mot et la récompense, et désormais il se couchera à votre signal.

À mesure que vous augmenterez la difficulté de l'exercice, votre chiot pourrait prendre plus de temps pour comprendre ce que vous voulez, alors soyez positif et patient. S'il ne se couche pas à votre signal, ne vous inquiétez pas. Peut-être devrez-vous diviser cette leçon en de plus brèves étapes. Avec le temps, vous ne pourrez plus lui montrer une friandise sans qu'il s'empresse de se coucher de lui-même dans l'attente du clic et de la gâterie.

ENSEIGNER L'ORDRE « VIENS ! »

Transformez la séance d'entraînement en récréation en jouant à cache-cache, dans la maison, en compagnie d'un ami ou d'un membre de votre famille. Demandez à cette personne de retenir votre chiot pendant que vous allez vous cacher. Puis appelez l'animal en disant, par exemple : « Momo, viens ! » Vous devrez peut-être répéter son nom à quelques reprises avant qu'il obéisse. Cliquez et donnez-lui la friandise quand il accourt. Pendant que vous le récompensez, demandez à votre collaborateur de se cacher à son tour et d'appeler l'animal par son nom.

C'est une manière amusante d'apprendre à votre chiot à venir vers vous et à vous chercher avec obstination. Cela pourrait vous être utile dans le cas où vous et votre chien seriez séparés l'un de l'autre à l'extérieur. Donna Duford recommande d'utiliser une friandise particulière pour vous assurer que l'animal obéira à votre commandement. Quand vous direz: «Viens!», le chien devra cesser immédiatement toute activité pour venir vers vous.

La présentation de la cage

Les chiots ont besoin d'un lieu bien à eux, douillet et sécuritaire. Duford recommande de familiariser graduellement les chiots avec une cage, par étapes positives. D'abord, laissez la porte de la cage ouverte en vous tenant à côté. Quand le chiot s'en approche et la renifle, cliquez et donnez-lui une friandise. Ensuite, lancez une autre friandise à l'intérieur de la cage, puis fermez la porte derrière le chiot. Récompensez-le avec une

autre friandise quand il ressort de la cage. Augmentez progressivement la distance entre vous et la cage pour que le chiot comprenne qu'il peut survivre même si vous êtes hors de sa vue.

Par ces exercices, vous incitez l'animal à aimer sa cage. Plus tard, emmenez-le dans sa cage pour une promenade en auto. Il la verra peut-être comme une espèce de lit à roulettes.

Marcher en laisse

Les chiots ont certes beaucoup d'énergie à dépenser, mais ils ont besoin de freiner un peu cet enthousiasme. C'est ici qu'entre en jeu l'entraînement à la laisse. Quand la laisse est lâche ou quand le chiot tourne son attention vers vous, cliquez et donnez-lui une récompense. S'il tire sur sa laisse, arrêtez-vous jusqu'à ce qu'il tourne son corps vers vous. Aussitôt qu'il le fait,

cliquez et récompensez-le, puis avancez de nouveau.

Bientôt votre chiot apprendra qu'il ne peut avancer que si la laisse est relâchée, et que le fait de tirer dessus vous fait stopper. Une fois qu'il a compris cela, vous pouvez vous contenter de le féliciter quand il marche correctement : le fait de continuer la promenade est pour lui une récompense en soi.

Les bonnes manières à l'heure des repas

Les chiens adorent l'heure des repas et se mettent alors souvent à bondir, à haleter et à agiter vigoureusement la queue. Cependant vous pouvez enseigner à votre chiot à se tenir correctement en attendant sa nourriture. D'abord, demandez-lui de se coucher et récompensez-le, puis amorcez le geste de déposer doucement son bol par terre. Si votre chiot bondit, retirez le bol et attendez qu'il se recouche. S'il le fait, abaissez de nouveau le bol. Le chiot n'a le droit de se lever et de manger que s'il sait rester couché jusqu'à ce que le bol touche le sol.

Une fois que votre chiot maîtrise cette étape, incitez-le à rester couché pour des laps de temps variés alors que le bol est par terre. Il doit vous obéir même si vous lui tournez le dos ou si vous quittez la pièce. Les bonnes manières rendent les repas beaucoup moins chaotiques.

Socialisez votre chiot

La socialisation est primordiale dans l'éducation d'un chiot et il est souhaitable de multiplier les contacts avec une grande variété de gens, de chiens, de lieux et de circonstances. L'initiation à la socialisation est aussi importante qu'une alimentation saine et que des examens réguliers chez le vétérinaire. Duford recommande de faire rencontrer à votre chiot de cent à deux cents personnes, chez vous et dehors, avant l'âge de cinq mois. Par exemple, asseyez-vous durant une demi-heure dans un parc un dimanche après-midi. Le nombre de personnes qui s'arrêteront pour caresser votre chiot vous étonnera. Même si votre chiot est à l'aise avec les gens et les autres animaux chez vous, le fait de l'exposer aux personnes et aux bêtes à l'extérieur de la maison lui permettra de former sa personnalité et d'améliorer son attitude.

En outre, présentez votre chiot à des personnes qui viennent régulièrement à la porte, comme le facteur, les livreurs, les employés de l'électricité et du téléphone. Encouragez les amis et les membres de la famille à porter à l'occasion des déguisements pour que l'animal voie différents chapeaux, verres fumés, barbes et accoutrements. Observez sa réaction et donnez-lui une friandise pour faire de ces bizarreries des expériences positives. S'il semble inquiet, procédez plus lentement et offrez-lui davantage de friandises.

Vous observerez à l'occasion des réactions craintives, particulièrement chez les chiens âgés de six mois à deux ans. Un jeune chien peut soudainement se méfier d'une chose qu'il connaît ou craindre une situation nouvelle. Sachez cela et placez votre chien dans des situations positives pour l'aider à surmonter sa peur. Soyez patient, offrez des friandises et fragmentez l'expérience de la nouvelle rencontre en plusieurs étapes pour ne pas trop brusquer l'animal.

Une fois que votre chiot a reçu tous ses vaccins, envisagez les excursions suivantes :

- Une fois pas semaine, passez quinze minutes à la sortie d'un centre commercial ou d'un supermarché avec votre chien. Ces endroits très fréquentés permettent au chiot de rencontrer des gens de tous âges et de toutes sortes.
- Emmenez votre chiot sur la terrasse d'un café. Ayez un bol, une bouteille d'eau et des friandises irrésistibles afin qu'il démontre ses talents de quémandeur au couple de la table voisine.
- Prenez le chien avec vous pour de brèves courses, comme aller chez le nettoyeur ou dans un restaurant avec service à l'auto. Ne laissez jamais votre chiot seul dans l'auto, spécialement les jours de canicule. La chaleur pourrait le tuer en quelques minutes.
- Organisez chaque semaine des fêtes de chiens dans votre jardin avec des amis. Idéalement, le jardin sera clôturé et vous pourrez surveiller leurs jeux. Assurez-

vous que les autres chiens sont de la même taille que le vôtre. Vous n'aimeriez peut-être pas voir votre yorkshire aux prises avec un mastiff.

- Organisez des promenades avec des voisins et tenez les chiens en laisse. Votre animal s'habituera ainsi à fréquenter des congénères de différentes races, de différentes tailles, et de tous les âges. Vous pouvez aussi développer un réseau d'amis des chiens susceptibles de vous aider quand vous aurez besoin de faire garder votre chiot.
- Inscrivez-le à des maternelles canines qui accueillent des chiens âgés de sept à seize semaines. Dans ces classes, les animaux s'habituent à jouer et à être manipulés, apprennent à bien se comporter et à contrôler leurs impulsions, de sorte qu'aucun d'eux ne risque de se transformer en terreur ambulante ou d'être terrorisé. Par ailleurs, selon Duford, il ne faudrait jamais imposer la socialisation aux chiens timides, mais les amadouer par des cajoleries, des friandises et des jouets. Ne caressez que les chiots qui viennent spontanément vous saluer.

Pour en finir avec les comportements répréhensibles des chiots

Même si vous mettez votre chiot à la maternelle, vous aurez peut-être à corriger certains comportements désagréables, par exemple le pipi dans la maison et le mâchonnement de toutes sortes d'objets. Duford propose les méthodes suivantes.

L'ENTRAÎNEMENT À LA PROPRETÉ

Il est irréaliste d'exiger d'un jeune chien le contrôle total de ses sphincters durant toute la journée de travail de son maître. Donc, les gens travaillant à temps plein devraient remettre en question leur désir d'avoir un chiot. S'ils décident tout de même d'en avoir un, ils devraient engager quelqu'un ou demander à des parents ou à des amis de faire sortir le chien plusieurs fois par jour. Les chiots ne contrôlent pas leurs sphincters avant l'âge de cinq ou six mois, aussi peuvent-ils parfois « s'oublier » sur le plancher.

Duford recommande de faire sortir les chiots aussitôt qu'ils se réveillent et après qu'ils ont mangé, bu ou joué. Les chiots ont besoin d'un horaire régulier : il faut les nourrir à la même heure chaque jour et retirer leur bol après le repas, et aussi leur eau deux heures après le dernier repas du jour. Plus le chiot est jeune, plus il a besoin d'uriner souvent. Si vous le voyez tourner en rond ou renifler, c'est sans doute qu'il doit faire ses besoins.

Si vous surprenez votre chiot en train d'uriner, évitez de le réprimander, mais prenez-le vite dans vos bras et accompagnez-le dehors où il pourra terminer ce qu'il a commencé. Quand votre chien devient plus vieux, allez à la porte et appelez-le à l'aide d'un mot-clé comme « dehors ! ». Il comprendra que ce mot signifie « aller à la porte » et s'en souviendra toute sa vie. Quand il fait ses besoins dehors, complimentez-le et offrez-lui des gâteries ; évitez le ton punitif et accentuez les félicitations. Il comprendra que sortir pour faire ses besoins est agréable et que cela vous fait plaisir. « Tout comme le bébé, dit Duford, le chiot élimine au besoin, et ce, jusqu'à ce qu'il soit capable de se retenir et d'aller dehors. C'est à vous de lui montrer où il doit s'exécuter. »

Pendant la période d'entraînement à la propreté, Duford conseille aux maîtres d'enlever les beaux tapis. Quand vous ne pouvez pas surveiller un chiot en plein apprentissage de la propreté, laissez-le dans une pièce dont le plancher est facile à nettoyer, comme la cuisine, ou mettez-le dans une cage.

Une pièce dont le plancher est facile à nettoyer, par exemple la cuisine, est un bon endroit où laisser votre chiot quand vous ne pouvez pas le surveiller.

Si vous devez aller travailler, mettez à sa disposition plusieurs feuilles de papier journal dans un coin, dans une pièce à l'épreuve de ses méfaits ou dans une très grande cage. Certains chiots deviennent propres plus rapidement que d'autres. Si le vôtre fait un dégât dans la maison, nettoyez le tout sans rechigner. Utilisez les produits commerciaux conçus pour éliminer les odeurs animales ou mélangez du vinaigre et de l'eau (moitié-moitié) pour enlever l'odeur d'urine.

MORDRE ET MÂCHONNER

Les chiots aiment explorer leur milieu avec les dents en mâchonnant de nouveaux objets, y compris votre main et le bras du fauteuil. Mâcher est aussi une façon naturelle pour les chiots de soulager la douleur causée par le remplacement des premières dents par les dents permanentes. Cette période pourrait durer cinq mois, voire plus. Éloignez donc votre chiot de vos souliers de cuir préférés, des fils électriques et de

vos doigts en lui donnant des objets à mâchouiller, jouets en caoutchouc, os stérilisés ou en plastique, jouets Kong, etc. Bourrez les os creux et les Kong avec du beurre d'arachide ou du fromage à la crème pour les rendre plus appétissants. Ne lui donnez pas un vieux soulier : il pourrait le confondre avec un de vos beaux souliers neufs...

Quand le chiot vous mord la main, l'avant-bras, la jambe de votre pantalon, exagérez votre réaction en poussant un « aïe ! » pour lui faire comprendre qu'il y va trop fort. Les chiots doivent apprendre à inhiber leur besoin de mordre, ce comportement inné. Si votre chien s'acharne à vous mordre, cessez les caresses et les jeux. Tournez-lui le dos et ignorez-le durant au moins trente secondes. Il doit comprendre que, quand il vous touche avec ses dents, il ne se passe plus rien d'agréable.

Duford utilise aussi le contre-conditionnement pour enrayer le réflexe de mordre. Il s'agit de se servir de ce qui déclenche normalement ce besoin — les caresses ou le jeu — pour l'associer à des friandises. Ainsi, l'automatisme « être caressé et mordre » est remplacé par « être caressé et goûter une gâterie ». Autre exemple : quand vous lui taillez les griffes, récompensez-le de la même manière.

LE CHIOT FOUINEUR

Les chiots sont naturellement curieux; ils doivent tout flairer et tout examiner. Faire un peu de ménage peut diminuer les tentations et préserver les choses de la maison — et vos nerfs.

Pour commencer, dit Duford, abaissez le couvercle de la toilette et fermez la porte de la salle de bains. Placez les chaussettes et autres vêtements dans la commode ou dans les garde-robes. Rangez les nettoyants ménagers sur de hautes tablettes ou dans des armoires fermées à clé. Ramassez les pièces de monnaie, les boucles d'oreilles et autres menus objets susceptibles d'être avalés. Traitez les fils électriques au répulsif. Accrochez les plantes au plafond ou placez-les sur des étagères robustes. Utilisez des barrières de sécurité dans les couloirs ou installez votre chiot dans une cage confortable et sûre d'où il peut voir tout ce qui se passe.

L'éducation du chiot commence le jour où il entre chez vous et doit continuer toute sa vie durant. « L'éducation est une affaire de tous les jours, dit Donna Duford, alors soyez cohérent et offrez des exutoires positifs à l'énergie de votre chiot. Et sachez que l'apprentissage progresse en dents de scie. Les chiots, comme nous, ont des bons et des mauvais jours. »

Les chiens sportifs

Profil d'entraîneur : Susan Garrett

On sonne à la porte des Garrett à Hamilton, en Ontario. C'est le signal. Pendant que leurs parents et leur sœur aînée, Vicki, accueillent l'éleveur de chiens qui amène leur nouveau caniche, les huit enfants, à l'étage, étouffent leurs rires. « Mes parents nous avaient dit de rester là-haut et de ne pas faire de bruit parce que l'éleveur ne voulait pas vendre le chiot à une famille nombreuse », se souvient avec humour Susan Garrett, qui avait cinq ans à cette époque. « Mais Tina était une chienne formidable, parfaitement capable de vivre au sein d'une telle famille. »

Susan, l'avant-dernière de la famille, enseigna à sa chienne les commandements « roule ! », « fais la morte ! », « assis ! » et « reste ! ». Tina apprit également à respecter certaines règles de la vie familiale, par exemple à se tenir loin du salon et de la salle à dîner.

Pendant que le père, Victor, travaillait aux aciéries et aidait Rita, la mère, à acheter, à restaurer et à vendre des maisons, Susan consacrait ses loisirs aux compétitions de conformation avec Vicki. « Je dois à ma sœur ma passion pour les chiens et pour l'entraînement, dit Susan. Vicki maniait des lévriers d'Irlande et je passais beaucoup de temps à la

PHOTO PAR TAMIE HUCAL

« Plus le comportement souhaité sera renforcé, plus le chien répétera ce comportement dans l'espoir d'être récompensé. »

— SUSAN GARRETT

regarder et à apprendre d'elle. » Durant ses études, Susan étendit son intérêt aux chevaux, apprenant à les entraîner pour les épreuves de dressage. « J'ai compris qu'il faut une bonne complicité avec l'animal et qu'il ne faut jamais aller trop vite. »

Tout destinait Susan à une carrière de vétérinaire quand elle découvrit, une fois inscrite à l'Université de Guelph, qu'elle était allergique à tous les animaux, excepté les chevaux. Les symptômes (yeux qui piquent, nez qui coule, gorge qui se serre) apparurent alors qu'elle trayait des vaches et éduquait des chiots pour gagner de l'argent de poche. Déterminée à œuvrer auprès des animaux, elle bifurqua vers les sciences animales. Après avoir supporté quatre injections par semaine pendant quatre ans, Susan développa une tolérance aux chiens, mais elle ne peut toujours pas mettre le pied sur une ferme d'élevage.

À la fin des années 1980, elle adopta Shelby, un chiot jack russel terrier. Quand il eut douze semaines, elle l'inscrivit à une école d'entraînement. En moins d'un an, grâce à son don pour maximiser le potentiel des chiens, les instructeurs invitèrent Susan à donner des cours. À cette même époque, elle et Shelby participaient à des compétitions et gagnaient leurs premiers prix dans les épreuves de *flyball* et d'agilité (on lit parfois *agility*, surtout en France), dont les championnats mondiaux de la Dog Agility Association et du North American Dog Agility Council, aux États-Unis. « Shelby est absolument tordant, dit Susan. J'ai découvert que les meilleurs accessoires pour son entraînement sont de simples pierres, et je lui en donne beaucoup durant les compétitions. »

En plus de Shelby, la délégation athlétique de Susan comprend :

- **Stoni.** Pour Susan, ce border colley est un « cadeau du ciel », une chienne unique qui fut toujours la meilleure dans tout ce qu'elle entreprit. À l'âge de dix ans, elle faisait partie de l'équipe de *flyball* qui détient le record international d'agilité, qui est de 16,06 secondes. Elle gagna de nombreux championnats nationaux d'agilité et fut nommée le chien de l'année par le Pedigree Canada Obedience Dog en 1996. Elle est athlétique, rapide et incroyablement intelligente.

- **Twister.** Ce jack russel terrier femelle de huit ans est doté d'une rapidité foudroyante. C'est un grand chien dans un petit corps. Premier prix de la Dog Agility Association et du North-American Dog Agility Council, elle remporta les championnats mondiaux de la United States Dog Agility Association et démontra ses aptitudes à la «prière» lors d'une émission de la comédie hebdomadaire *Saturday Night Live*, à la télé américaine. À cause de sa compassion, elle est aussi l'«âme sœur» de Susan. Quand Rita Garrett fut frappée d'un cancer de l'estomac, Twister resta à ses côtés. «Ma mère et moi étions très liées, dit Susan, et la présence de Twister durant cette épreuve me fut d'un grand réconfort.»
- **Buzz.** Ce border colley hyperactif de cinq ans tire son nom de l'effet explosif des cafés forts. «Dans les compétitions d'agi-

lité, dit Susan, il aboie tout au long du parcours et adore afficher son exubérance. Je le verrais bien illustrer une affiche de l'entraînement au clicker. Il est si stimulant que les programmes d'entraînement par le renforcement positif en acquièrent beaucoup de sérieux. » Buzz fut champion de la United States Dog Agility Association et de l'Agility Association of Canada.

- **Decaff.** Ce jack russel terrier d'un an est une chienne passionnée qui adore travailler et qui raffole des échanges de câlins avec Susan. « Une vraie fille à maman ! Elle s'entraîne au *flyball* et à l'agilité, m'accompagne aux séminaires et participe à mes démonstrations d'entraînement des chiots. »
- **Quid.** Ce border colley de deux ans s'entraîne aux jeux de performance. Son entraîneur est son propriétaire, John Blenkey, le conjoint de Susan. « Tous ces chiens sont à la fois nos animaux de compagnie et des membres de notre famille », déclare Susan, qui partage son domaine de vingt-huit acres avec John, un juge d'obéissance à Alberton, en Ontario. « Chaque soir ils dorment dans notre chambre, chacun dans son propre lit. »

Jusqu'en 2000, Susan partagea son temps entre la vente de produits pharmaceutiques vétérinaires, les classes d'entraînement et les compétitions. Elle vivait pour ainsi dire dans ses valises. « Je continuais à donner des conférences dans différents ateliers et congrès, je me lançais le vendredi dans la vente, je passais le week-end à enseigner et j'attrapais un vol de nuit pour rentrer directement au travail le lundi. C'était exténuant. »

Charpente en A

Maintenant, elle peut se consacrer entièrement à l'entraînement des chiens et à leurs maîtres dans une kyrielle de sports de performance — en insistant toujours sur l'importance de s'amuser. Elle enseigne l'utilisation du clicker dans l'entraînement à l'obéissance, de l'agilité, du *flyball* et des tours d'adresse. « Mes méthodes excluent l'utilisation de la force, dit Susan Garrett. La meilleure manière d'enseigner quelque chose aux chiens est de leur faire comprendre les conséquences de leurs actes. Quand ils se comportent adéquatement, ils sont récompensés ; autrement, il n'y a pas de récompense. Avec le temps, le comportement se façonne naturellement, de sorte que les chiens font l'action souhaitée avant même que vous la leur demandiez. »

Introduction

Dans le monde des épreuves d'agilité, les chiens de Susan Garrett sont constamment les meilleurs. Shelby, Twister, Stoni et Buzz ont peu de rivaux. Stoni et Twister continuent à courir ensemble dans l'équipe de *flyball*. Mais le plus important est que ces chiens sont en excellente forme physique,

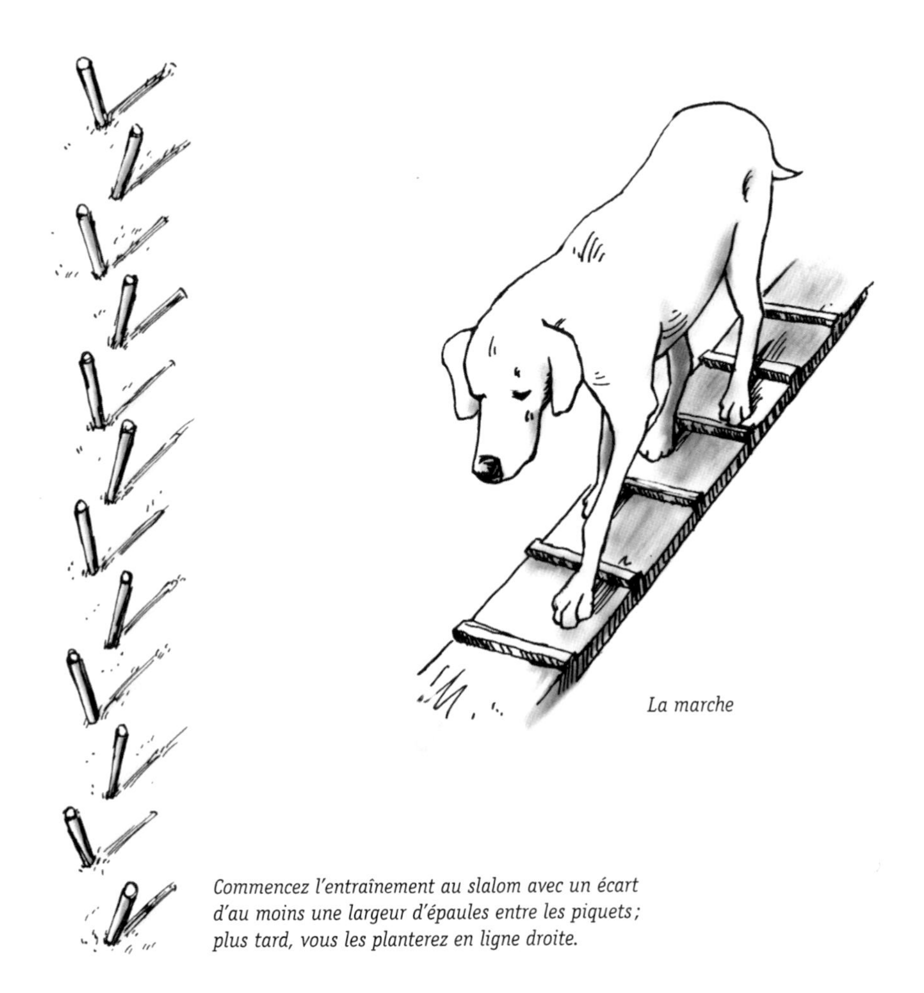

La marche

Commencez l'entraînement au slalom avec un écart d'au moins une largeur d'épaules entre les piquets; plus tard, vous les planterez en ligne droite.

s'amusent beaucoup et vivent en parfaite harmonie avec Susan.

Par bonheur, Susan excelle aussi dans l'enseignement des sports de performance, ce qui lui vaut de voyager régulièrement au Canada, au Japon, en Angleterre et ailleurs pour exposer ses méthodes dans différents congrès. Son objectif est que tous les chiens et leurs maîtres deviennent de meilleurs coéquipiers, qu'ils se comprennent mieux les uns les autres.

Les bénéfices de l'entraînement à l'agilité, au jeu de frisbee, à la danse et aux autres sports ne permettent pas que de gagner des prix et des trophées: en initiant votre chien à ces activités, votre lien d'amitié avec lui se renforcera, et ces jeux exigeants vous aideront tous deux à fortifier vos muscles et à améliorer votre résistance physique. Les sports sont un exutoire sain pour les chiens et réduisent les risques de problèmes comportementaux dus à l'ennui ou à l'inactivité. En outre, l'athlétisme développe aussi la concentration mentale, car un chien apprend à partir des conséquences de ses comportements et de ses actes. Quand un chien fait ce que son maître lui demande, il est complimenté et récompensé ; quand il fait quelque chose qui déplaît à son maître, comme le fait de déguerpir hors de la maison sans sa laisse, il est ramené à l'intérieur et donc privé du plaisir d'aller jouer dehors. « Plus le comportement souhaité sera renforcé, plus le chien répétera ce comportement dans l'espoir d'être récompensé. »

Dans les sports de performance, il est souhaitable d'avoir le plus de renforçateurs possible. Certains chiens préfèrent travailler pour de la nourriture, mais il vous revient de les exposer à d'autres récompenses. Faites

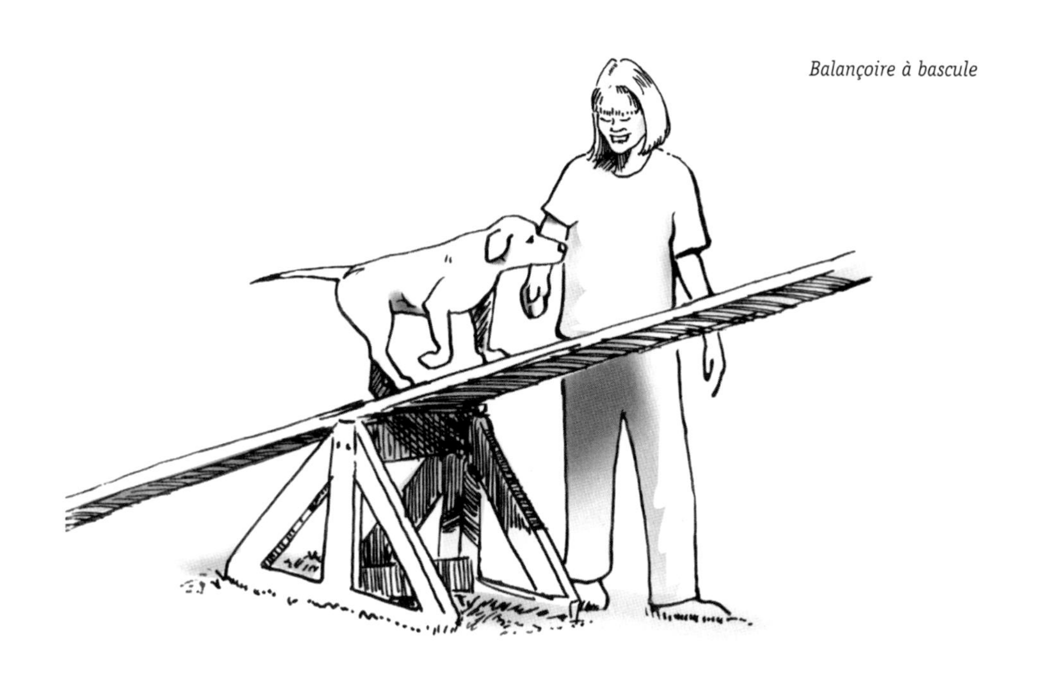

Balançoire à bascule

La haie

des séances d'entraînement brèves et excitantes en donnant beaucoup d'importance au renforcement, dit Garrett. Ne laissez pas votre chien devenir soucieux pendant qu'il travaille. Un chien heureux d'apprendre vous récompensera de vos efforts en répondant avec empressement à ce que vous lui demanderez d'accomplir.

Le sport d'agilité

L'agilité est un sport de plus en plus populaire dans lequel une personne guide un chien sur un parcours chronométré comportant des obstacles. Courant contre la montre, les chiens doivent escalader des rampes, foncer à travers des tunnels, franchir d'un bond des haies, passer d'un bout à l'autre d'une balançoire et slalomer entre une enfilade de piquets. Le classement dépend du nombre de fautes commises et de la rapidité des chiens, qui sont divisés en catégories d'après leur taille. Pendant la compétition, les gens courent avec leur protégé, mais n'ont pas le droit de lui toucher. Ils ne doivent guider leur chien qu'à l'aide de paroles et de signes de la main. Les chiens perdent des points s'ils ne posent pas au moins une patte sur les zones de contact obligatoire, s'ils font tomber les haies ou s'ils ne les franchissent pas dans l'ordre prescrit, s'ils omettent des obstacles ou s'ils ne complètent pas la course dans un certain laps de temps. Les obstacles typiques comprennent la palissade, la balançoire, la passerelle, les tunnels (souples ou rigides), le slalom, le pneu ou le cerceau, les haies et la table.

Après avoir été l'apanage des border colleys et des bergers des Shetland, l'agilité attire maintenant des chiens de toutes

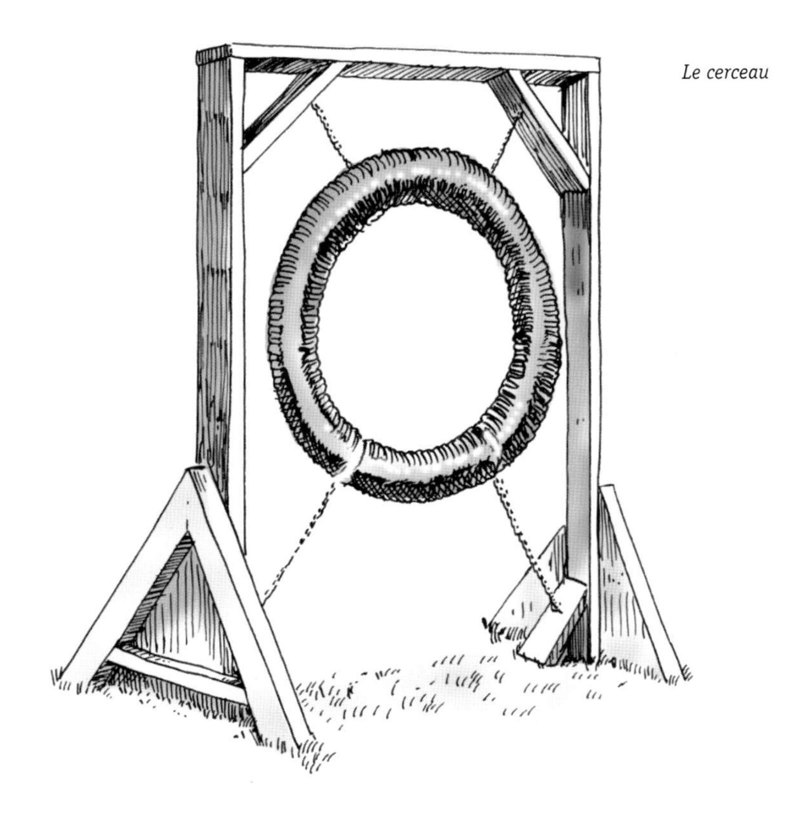

Le cerceau

formes, tailles et races, des rapides poméraniens aux puissants keeshonds. Garrett encourage les maîtres à développer le potentiel de leur chien. L'âge, le poids, la stature physique et la race jouent un rôle déterminant dans la capacité de votre chien à maîtriser le franchissement des haies, la passerelle, la palissade et le saut à travers le pneu.

Des considérations sur la santé

Avant de vous précipiter sur un parcours d'agilité ou d'inscrire votre chien aux prochaines épreuves locales de *flyball*, freinez quelque peu votre enthousiasme. Vous pensez peut-être avoir un chien athlétique, mais souvenez-vous que même les meilleurs chiens ne sont pas invincibles. Comme chez les humains, les chiens peuvent souffrir de blessures dues à un entraînement inadéquat. Avant d'initier votre chien aux sports de performance, Garrett vous recommande un examen complet chez le vétérinaire. Ce dernier peut découvrir des problèmes qui limitent les capacités de l'animal, par exemple une dysplasie de la hanche ou du coude, ou exiger qu'il perde du poids avant de s'adonner aux courses à obstacles.

Si votre chien est dodu, augmentez graduellement la durée de vos promenades et accélérez le rythme de la marche. Remplacez les reliefs de table riches en calories par des gâteries plus saines, comme des carottes crues. Le chien devrait perdre 2,5 % de son poids par semaine.

Évitez d'initier votre chiot trop tôt aux sports. Les plaques de croissance osseuse des chiens ne prennent leur forme définitive qu'entre douze et dix-huit mois selon la race. En agilité, par exemple, les jeunes chiens devraient sauter des haies de quelques centimètres seulement, jusqu'à ce qu'ils atteignent leur maturité physique, de manière à réduire les risques de fracture et de déchirure musculaire.

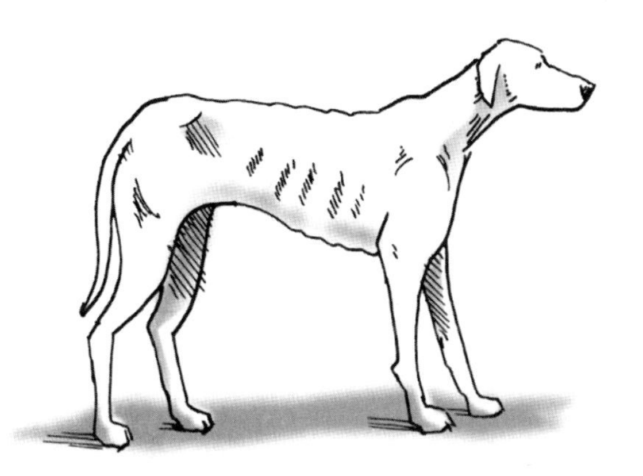

Chien trop maigre

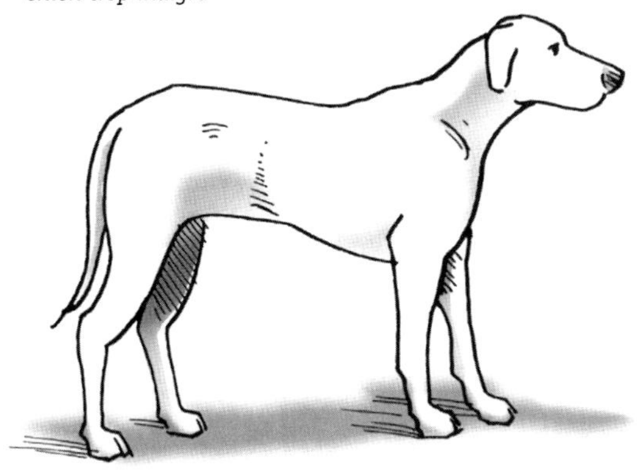

Chien de poids normal

Chien obèse

Ne transformez pas un chien qui est sédentaire durant la semaine en un sportif de week-end. Les chiens mal exercés risquent de se blesser ou de manquer de force pour compléter un parcours d'agilité. Pendant la semaine, incorporez de courts sprints à vos promenades quotidiennes pour augmenter votre résistance physique à tous deux. Si votre chien aime l'eau, essayez de nager avec lui pour améliorer sa condition cardiovasculaire et raffermir ses muscles.

Avant toute activité physique avec votre chien, étirez durant cinq à dix minutes vos muscles et ceux du chien pour les réchauffer. Garrett recommande la position du salut pour le chien (les pattes de devant allongées et le postérieur relevé), à maintenir de cinq à dix secondes. Placez ensuite votre chien sur le côté et, gentiment mais fermement, étirez chaque patte, une à la fois, pendant cinq secondes avant de la relâcher. Puis faites-lui franchir quelques haies.

Avant de vous entraîner ensemble, fixez-vous des objectifs réalistes qui correspondent aux capacités et aux intérêts de votre chien. Ne vous laissez pas séduire par des désirs égoïstes de gloire. Il serait certes formidable de posséder le meilleur chien d'agilité au

Avant une activité, pour prévenir les blessures, le chien doit étirer ses muscles dans la position du salut.

monde, mais à quel prix ? Adaptez-vous à son rythme pour lui assurer des séances réussies.

Ne négligez pas l'obéissance

Avant qu'un chien puisse franchir une haie, attraper un frisbee au vol ou danser le cha-cha-cha en suivant la musique, il doit maîtriser les commandements d'obéissance de base : s'asseoir, rester immobile, se coucher, et toujours venir à vous quand vous l'appelez, où que vous soyez et malgré les distractions environnantes.

Susan Garrett propose la méthode suivante pour améliorer la réponse de votre chien au rappel :

- Identifiez les distractions potentielles — gens, jouets, nourriture, odeurs, lieux et situations.
- Reportez ces distractions sur une échelle graduée de un à dix, dix pour l'élément le plus distrayant.
- Passez une semaine à désensibiliser votre chien à ces distractions. Gardez-le en laisse chaque fois qu'il risque d'être distrait.

- Si possible, n'exposez pas votre chien à des distractions importantes, et ce, pendant deux mois. Renforcez d'abord sa résistance aux tentations les plus faibles.
- Consacrez chaque jour trois séances de cinq minutes à la pratique des commandements de rappel. Faites de quinze à vingt-cinq rappels par séance, dans un endroit calme, sans distraction.
- Choisissez différents renforçateurs pour récompenser l'animal chaque fois qu'il répond à votre appel. Utilisez des jouets ou différentes nourritures dont il est friand. Choisissez une expression spécifique, comme « viens me voir », et pas toujours l'ordre « viens ! », qui a un sens plus large.
- Ajoutez progressivement quelques distractions de niveau un et appelez votre chien. Vous devez réussir au moins vingt rappels avant de passer à l'étape suivante.
- Ne prononcez pas le nom de votre chien avant les mots-clés « viens ici » ou « viens ! ». Après environ deux mois, votre chien comprendra parfaitement que vous ajoutez son nom à votre ordre pour attirer davantage son attention.
- Haussez le niveau de distraction quand votre chien accourt toujours à votre appel. Au bout de huit semaines, vous devriez faire vingt rappels par séance d'entraînement, trois fois par jour, pour un total de 3 360 rappels réussis. C'est une base solide pour façonner le comportement de votre chien. Il devrait maintenant accourir vers vous malgré les tentations ou les distractions.

L'entraînement à l'agilité

RESTER CONCENTRÉ

Garrett a inventé l'acronyme anglais *DASH* pour aider ses étudiants à rester concentrés durant les séances d'entraînement. Les quatre initiales sont :

D pour DESIRE (traduction : entrain). Avant d'enseigner quoi que ce soit à votre chien, manifestez d'abord votre enthousiasme. Le chien doit percevoir et partager votre entrain. Si nécessaire, motivez-le par une brève activité amusante avant les séances d'entraînement. Par exemple, faites-le tirer durant quelques minutes sur une corde pour qu'il soit prêt à se concentrer sur vous.

A pour ACCURACY (traduction : précision). Une fois que votre chien a envie d'apprendre, vous pouvez commencer à façonner un comportement spécifique ou à développer son agilité.

S pour SPEED (traduction : vitesse). Une fois que votre chien sait franchir des obstacles, vous devez l'entraîner à réussir les parcours en moins de temps.

H pour HABITAT (traduction : environnement). Vous devez pratiquer l'agilité avec votre chien dans différents contextes, et pas seulement dans le jardin ou dans les classes d'entraînement. Le fait d'emmener votre chien dans différents lieux l'aidera plus tard à s'adapter aux nombreux parcours de compétition. « Surtout, dit Garrett, ne brûlez pas les étapes, n'allez jamais plus loin tant que vous n'êtes pas absolument enchanté de l'attitude de votre chien, de son intensité, de son entrain et de sa performance générale. »

CINQ ASPECTS IMPORTANTS DE L'AGILITÉ

Voici les cinq aspects importants de l'agilité selon Susan Garrett : introduire un nouveau renforçateur ; améliorer la vitesse ; maîtriser le slalom ; réussir les obstacles avec zone de contact ; et rester concentré sur l'objectif.

Transformer un perdant en gagnant. Certaines personnes se vantent d'avoir un chien prêt à « faire n'importe quoi » pour jouer avec son jouet favori. Encourager un chien à n'aimer qu'un seul jouet peut retarder son entraînement aux sports de performance, dit

Garrett. « Le chien en vient à se concentrer entièrement sur la récompense — son jouet favori — et non sur le jeu auquel vous essayez de l'intéresser. Il ne s'exécute alors que pour ce qu'il peut en retirer après le jeu plutôt que pour le plaisir même du jeu. »

La solution: présentez au chien une variété d'objets qui l'intéressent peu au départ et augmentez-en progressivement la valeur à ses yeux. Le choix favori de Garrett est la balle de tennis: faites une incision d'à peu près quatre centimètres dans la balle et remplissez-la de petites gâteries pour la rendre attrayante. Autre exemple: si votre chien s'amuse comme un fou à bondir chaque fois que vous prenez les clés de votre voiture, commencez par prendre la balle de tennis avant vos clés. Ou déposez le jouet à l'endroit où se trouve normalement son bol de nourriture pendant que vous lui préparez son repas. Attendez quelques minutes, puis déposez son bol près du jouet. Pour lui, désormais, le jouet annoncera quelque chose de délicieux.

Vous voilà maintenant prêt à entraîner votre chien à rapporter le jouet. Agenouillez-vous à sa hauteur et assurez-vous qu'il vous voit introduire des friandises dans l'ouverture de la balle, puis lancez-la-lui. Dès qu'il la regarde, utilisez le clicker ou dites : « Oui ! » Allez vers la balle, prenez-la, secouez-la pour faire tomber des morceaux de friandise. Répétez à quelques reprises la manœuvre avant de ranger la balle. (Veuillez vous reporter au chapitre sur les chiens d'utilité pour les rudiments de l'utilisation du clicker.)

Lors de la séance suivante, lancez la balle vers votre chien, mais ne cliquez que lorsqu'il s'en approche. Haussez graduellement vos exigences pour que le chien ne reçoive la gâterie que lorsqu'il touche ou ramasse la balle. Pendant tout ce temps, ne prononcez aucun mot d'encouragement. À la longue, votre chien ramassera la balle et ira vers vous avant d'entendre le clic ou de recevoir la friandise. En réalité, vous êtes en train de lui enseigner une nouvelle manière de s'amuser avec vous. Une approche efficace pour le parcours d'agilité.

Améliorer la vitesse. Votre chien est-il du genre à franchir les obstacles du parcours d'agilité tout en prenant délicieusement son temps ? Pour enseigner à votre chien à courir plus vite, vous devez d'abord corriger vos propres erreurs.

« Votre chien était peut-être un peu nerveux à l'idée de monter sur la passerelle, dit Garrett, alors vous avez voulu le rassurer en lui disant : "C'est bien ! Tu es capable !" Les mots ne veulent rien dire pour votre chien, par contre il sait reconnaître le ton d'un compliment et il aura plutôt compris : "Ah bon ? Mon maître aime bien quand je vais lentement ? Alors c'est ce que je vais faire." Ou peut-être avez-vous tiré une gâterie de votre poche pour l'inciter à aller jusqu'au bout de la planche, alors votre chien s'est dit : "Quand j'hésite et que je m'arrête, mon maître me nourrit." Sans vous en rendre compte, vous avez renforcé un comportement inapproprié : la lenteur. »

Maîtriser le slalom. Pour Garrett, le clicker est un accessoire d'entraînement essentiel pour apprendre à un chien à zigzaguer entre des piquets. Le clicker sert à lui faire comprendre qu'il a accompli correctement une partie de l'activité et il constitue le seul renforçateur que vous devez utiliser pour le slalom. Souvenez-vous qu'il ne faut récompenser que l'étape réussie de l'activité, et que le synchronisme est crucial.

Quand vous initiez votre chien au slalom, commencez par une courte séquence : deux piquets, par exemple. Quand votre chien aura réussi cela, vous pourrez en

La manière correcte pour votre chien de se faufiler entre les piquets est d'amorcer la course de droite à gauche, le dernier piquet devant être sur sa droite.

ajouter un ou deux. Le clic isole le segment de la performance que vous voulez récompenser. Si vous cliquez seulement quand votre chien a complété toute la série de piquets, il sera au ralenti, parce que, à chaque pieu, il pensera devoir attendre le son du clicker. Sélectionnez une partie du parcours du slalom et concentrez-vous sur elle. Si votre chien l'amorce de la bonne façon, cliquez, allez vers lui et récompensez-le, puis enlevez-le du parcours et recommencez. Ensuite, choisissez une autre partie du parcours à récompenser. En divisant la course en étapes, vous favorisez la maîtrise complète de l'obstacle. Votre chien aura de plus en plus confiance en lui et pourra bientôt, lors d'une épreuve, franchir douze piquets à toute vitesse.

Réussir les obstacles avec zone de contact. Dans un parcours classique, le chien doit marcher sur une zone peinte en jaune — appelée zone de contact — pour ne pas être pénalisé. Les chiens doivent être entraînés à ne pas sauter par-dessus ces zones. L'une des meilleures façons d'enseigner à votre chien à réussir cette épreuve est de pratiquer l'exercice dans un escalier de la maison.

D'abord, utilisez le clicker pour entraîner votre chien à toucher du museau une cible de plastique clair placée au pied de l'escalier. Il doit se tenir sur la première marche, puis descendre de cette marche pour se diriger vers la cible. Une fois qu'il peut faire cela, mettez-le sur la deuxième marche. Préparez-vous à diminuer la visibilité de la cible pour en arriver à ce que le chien descende une ou deux marches et qu'il approche son museau du sol sans qu'il y ait de cible. Continuez à remonter les marches jusqu'à ce qu'il puisse dévaler l'escalier en courant et approcher son museau du sol. Faites en sorte qu'il reste dans cette position jusqu'à ce que vous le libériez.

Une fois que votre chien s'est rendu compte combien il est amusant de descendre l'escalier en courant jusqu'à la cible, vous pouvez pratiquer cet exercice à l'extérieur avec une passerelle.

Rester concentré sur l'objectif. Faites courir votre chien sur le parcours en l'obligeant à toucher des cibles du museau. Cliquez et récompensez-le avec de la nourriture ou un jouet. Répétez cela plusieurs fois, puis déplacez la cible et mettez-vous à cliquer avant

L'escalier de la maison est très utile pour apprendre au chien à réussir les obstacles.

que le chien l'atteigne. En faisant cela, vous renforcez la capacité de votre chien à faire tout le parcours préétabli par des cônes numérotés. Enlevez la cible pour que votre chien puisse maintenant faire le parcours en entier. Associez à l'exécution des encouragements, comme: «Vas-y! Vas-y! Vas-y!»

Durant la compétition, ne quittez jamais votre chien des yeux. Restez concentré, dit Garrett. Dites-lui toujours où aller avant de lui préciser ce que vous voulez qu'il fasse. Ne l'accablez pas de vos frustrations. Même après une piètre performance, félicitez-le et récompensez-le dès qu'il a complété le parcours. Après tout, vous participez à ce sport pour vous amuser avec lui. Si vous renâclez, votre chien perdra son enthousiasme. Pour l'agilité comme pour n'importe quel autre sport, Garrett rappelle aux maîtres de ne jamais sous-estimer le plaisir dans l'apprentissage. Si vos séances d'entraînement sont amusantes, excitantes et positives, votre chien ne rechignera jamais à apprendre de nouvelles habiletés.

DES CONSEILS POUR PRATIQUER CHEZ SOI

Susan Garrett incite les gens à s'inscrire dans des classes de sports de performance, mais elle leur rappelle aussi que l'apprentissage ne se résume pas à cela. Les meilleurs chiens perfectionnent à la maison ce qu'ils ont appris en classe. Voici ses conseils :

- **Être positif ne veut pas dire être laxiste.** Soyez toujours cohérent avec votre chien. Ne tolérez pas un comportement inadéquat un jour pour le réprimer le lendemain. Le chien se fie à vos instructions, alors soyez clair et catégorique.
- **Enregistrez sur vidéo une séance d'entraînement toutes les deux semaines.** Ainsi, vous pourrez vous évaluer en tant que professeur et noter les progrès accomplis avec votre chien.
- **Établissez un plan et respectez-le.** Munissez-vous d'un chronomètre ou comptez le nombre de renforcements afin de ne pas entraîner votre chien jusqu'à l'épuisement. Faites des séances brèves, de moins de dix minutes. Notez dans un journal vos progrès et le plan des prochaines leçons.
- **Variez vos renforçateurs.** Utilisez la nourriture et les jouets préférés de votre chien comme récompenses. Ne lui offrez jamais de gâteries s'il refuse de jouer.
- **Rappelez-vous que vous êtes responsable de ses erreurs.** Votre chien a commis une faute ? Ne le blâmez pas : il révèle vos faiblesses d'entraîneur.
- **Sachez quelle action vous renforcez quand vous offrez une récompense.** Si votre chien saute sur vous après chaque clic et que vous lui offrez une gâterie, vous êtes en train de renforcer ce défaut, et non pas le comportement souhaité. Vous devez cliquer à l'instant précis où le chien fait le geste tant désiré.
- **Pratiquez, pratiquez, pratiquez.** Les athlètes professionnels doivent s'entraîner sans cesse et travailler leur technique. Imitez-les. Cherchez à corriger vos faiblesses pour devenir, vous et votre chien, compétents dans tous les aspects du sport de performance.
- **Gare à l'ennui.** Tout est dans l'attitude. Si votre voix est monotone et que vous êtes avare de gestes, votre chien verra bientôt l'agilité comme une corvée d'un ennui mortel. Soyez animé et abreuvez votre chien de compliments et de félicitations. Montrez-lui que vous vous amusez.
- **Établissez les règles du jeu.** Déterminez le moment où le jeu commence, quand il finit, et quel jouet vous donnerez à votre chien.
- **Ralentissez.** Assurez-vous que votre chien peut exécuter une performance à la perfection avant de l'inciter à aller plus vite.
- **Sachez quand arrêter.** Terminez toujours votre entraînement quotidien avant que votre chien soit mentalement ou physiquement fatigué.

Les chiens d'utilité : quand il vous faut une deuxième paire de mains

Profil d'entraîneur : Debi Davis

Aujourd'hui, en repensant à son enfance, Debi Davis constate qu'elle fut élevée dans un style proche de l'entraînement au clicker par des parents toujours positifs, qui avaient le don d'inculquer à leurs trois enfants des comportements appropriés sans élever la voix. « Aucun de nous n'a essuyé des fessées ou des reproches », dit Debi, la benjamine aujourd'hui âgée de cinquante-trois ans, qui grandit dans la propriété familiale de dix acres, dans la banlieue de Detroit. « Mon père était un homme très créatif, à l'esprit ouvert. Ma mère nous élevait sans nous angoisser ou nous humilier, tablant plutôt sur nos qualités. Incroyablement patiente, elle savait transformer en partie de plaisir les tâches ménagères qui nous rebutaient. »

Les enfants Davis devaient se conformer à certaines règles familiales : « Nous n'avions pas le droit de dire du mal de quelqu'un, se souvient Debi, sinon nous devions sortir de la maison. On nous enseignait à respecter la nourriture et la personne qui la prépare. Il n'était pas question de dire que nous n'aimions pas le brocoli ou les épinards, mais il fallait en manger un peu avant de dire poliment : "Je prendrais bien d'autres pommes de terre." »

PHOTO PAR TIM LOOSE

« Les chiens adorent travailler, attirer l'attention de leur maître et communiquer avec lui. »

— DEBI DAVIS

Les parents de Debi, Steve et Bernice, étaient propriétaires d'un atelier où l'on débosselait les carrosseries, le Davis Collision Service. Durant son adolescence, Debi lavait les autos si minutieusement qu'elle y laissait des rayures sur la caisse. Elle comprit vite qu'elle ne serait jamais mécanicienne. Par contre, elle passa toute son enfance avec les animaux. Elle montait des poneys avec assurance depuis toujours. Nuit et jour, chats et chiens entraient et sortaient de la maison et Debi allait explorer les étangs du voisinage, fascinée par les têtards et les poissons. Après l'école secondaire, elle travailla comme assistante dentaire, puis elle alla bâtir des cabanes en bois en Californie et en Alaska, et finalement elle renoua avec sa vraie passion, les animaux.

Debi travaillait sur une ferme d'élevage de chevaux pur sang arabes à South Bend, en Indiana, quand elle ressentit pour la première fois des engourdissements dans les jambes. Peu après, son pied paralysait ; elle faisait un pas et tombait. « Les médecins m'ont appris que je souffrais d'une maladie vasculaire évolutive d'origine inconnue. » Depuis lors, Debi a subi trente-cinq opérations. En 1977, on lui amputa la jambe droite sous le genou ; et en 1980, la jambe gauche, au-dessus du genou. Puis la maladie atteignit le cœur et causa plusieurs crises cardiaques.

En 1994, les médecins déclarèrent que sa maladie entrait en phase terminale et qu'il ne lui restait plus que quelques mois à vivre. C'est alors qu'elle rencontra Tim, un professeur de mathématiques de Tuscon, en Arizona, qui l'adorait et admirait son esprit combatif. « Il m'a demandé de l'épouser, mais j'ai dit que je ne pouvais pas, que j'étais en train de mourir, dit Debi, mais il a persisté en me disant : "Si tu n'en as plus pour longtemps, épousons-nous tout de suite pour ne perdre aucun moment précieux." Nous sommes mariés depuis lors et Tim est devenu mon assistant.

Aujourd'hui, je suis heureuse et reconnaissante pour chaque nouvelle journée. »

Comme elle devait se déplacer en fauteuil roulant, Debi comprit qu'elle avait besoin d'un chien pour l'aider dans ses activités quotidiennes, mais elle en voulait un petit avec le caractère d'un gros. « J'ai choisi Peekaboo, un papillon, parce que cette race se rapproche le plus de la personnalité prudente du border colley. Les papillons sont intelligents, rapides, et assez petits pour courir à l'intérieur quand c'est nécessaire. En outre, ils ont été élevés pendant des siècles pour être nos compagnons. On ne peut donc trouver mieux pour une thérapie assistée par l'animal. »

Mais quand Peekaboo est apparu dans la vie de Debi, à l'âge de trois mois, il était peureux : il se jetait en grognant sur les étrangers, sur ses congénères, sur les chats, les écureuils et autres petits animaux. Excessivement agressif, il n'écoutait pas Debi. « Il n'a jamais socialisé avec ses congénères quand il était chiot. Il ne savait pas non plus comment faire face aux gens, surtout si c'étaient des étrangers. »

Debi et sa mère emmenèrent alors Peekaboo dans les parcs et à la sortie des supermarchés pour lui donner l'occasion de rencontrer des gens. Ne sachant quoi faire, Debi lui lançait des giclées d'eau ou le corrigeait avec la laisse quand il se conduisait mal. Mais Peekaboo devint encore plus agressif, jappa plus fort et se mit à essayer de mordre les amis et les membres de la famille. « Plus j'y allais fort pour tenter d'éliminer ses défauts, plus il devenait mauvais. Je ne connaissais que la méthode traditionnelle des corrections suivies de félicitations, mais avec lui ça ne marchait pas et chaque promenade était une lutte de pouvoir où je tentais de m'imposer. Des gens se mirent alors à me suggérer l'euthanasie. »

C'est alors que Debi lut le livre *Don't Shoot the Dog* (Ne tuez pas le chien) de la célèbre entraîneuse canine Karen Pryor et qu'elle essaya les techniques du renforcement positif avec la méthode du clicker. Debi déménagea à l'autre bout du pays et inscrivit Peekaboo dans un centre d'entraînement de chiens d'utilité où l'on enseigne aux invalides à éduquer leur propre chien. Dans cette école, on n'utilise que l'entraînement au clicker ; aucune punition physique ou verbale n'est autorisée. La vie venait de changer pour Peekaboo et Debi.

« Quand par hasard Peekaboo se comportait convenablement, je le félicitais et j'essayais de tirer profit de ce petit succès. J'appris à ignorer les mauvais comportements et à tabler sur les bons. Aujourd'hui, à sept ans, Peekaboo est un chien totalement différent et beaucoup plus heureux. »

En outre, il reçut en 1999 le titre de chien de l'année de la société Delta, organisme américain voué à la promotion de la santé par les animaux d'utilité et de thérapie. Peekaboo devint le premier chien de race miniature — et le premier à avoir été entraîné avec le clicker — à recevoir cet honneur habituellement réservé aux gros chiens comme les bergers allemands ou les labradors.

Debi continue elle aussi de contredire les prévisions. Sa condition stabilisée, elle enseigne les bienfaits des chiens d'utilité dans les congrès, les hôpitaux, les maisons de retraite et les écoles, avec son humour, son amour et sa compassion d'entraîneuse professionnelle. Naturellement, Peekaboo l'accompagne et épate la galerie en montrant qu'il peut ramasser une pièce de monnaie, éteindre la lumière et décrocher le combiné du téléphone. « Peekaboo, dit Debi, est mon majordome, mon secrétaire, mon portier, et surtout mon meilleur ami. »

Peekaboo prendra bientôt sa retraite à cause de problèmes de vision et Debi s'occupe à entraîner Capitaine Courage, son successeur, un papillon de trois ans. « Il a été bien socialisé par son éleveur, dit Debi, et comme chien d'utilité il a un don. Vous pouvez manipuler ses orteils, ses mâchoires, frotter son ventre et faire tous les bruits que vous voulez, il reste concentré sur moi. »

Réfléchissant à sa vie, Debi constate qu'elle est revenue au point de départ, perpétuant la tradition familiale de guider à la fois les gens et les animaux de compagnie. Aujourd'hui, elle aide les entraîneurs de chiens d'utilité partout dans le monde par Internet et elle incite les maîtres à appliquer les principes de l'entraînement au clicker. « Je suis chanceuse d'avoir été élevée par des parents comme les miens, qui ont compris le pouvoir du renforcement positif. Et aujourd'hui j'éduque mes animaux de la même façon. Cela me semble si naturel ! »

Introduction

Sept heures, le réveille-matin sonne dans la chambre de Debi Davis. Peekaboo, habilement, arrête la sonnerie de la patte, puis il pousse doucement Debi qui bâille, s'étire et caresse son chien. Elle se met sur le bord du lit et s'installe dans son fauteuil roulant.

Quand il est temps de faire le lit, Peekaboo se met à l'extrémité du matelas. « Tire les couvertures », lui commande Debi. Saisissant les draps entre ses dents minuscules, il les hisse à la tête du lit et tire sur l'édredon pour le mettre en place. « Je ne sais pas ce que je ferais sans lui. » Du matin au soir, Peekaboo aide Debi. Il va chercher la télécommande du téléviseur, retire les vêtements de la sécheuse, ramasse les crayons tombés par terre et ouvre les portes à son signal.

La plupart des chiens d'utilité appartiennent à de grosses races, comme les golden retrievers ou les bergers allemands, mais Peekaboo démontre bien que les petits chiens peuvent aussi aider les invalides ou les gens qui souffrent de problèmes psychologiques, par exemple la panique ou l'agoraphobie. Les gros chiens sont meilleurs pour tirer des fauteuils roulants, ouvrir de lourdes portes et soutenir les gens lors de la marche. Les petits chiens, eux, peuvent aider à faire la lessive ou ramasser de menus objets par terre.

« Les chiens adorent travailler, attirer l'attention de leur maître et communiquer avec lui, dit Davis. Même sans handicap physique, ne serait-ce pas formidable de pouvoir entraîner votre chien à ramasser des objets, comme vos clés, quand vous rentrez de l'épicerie les bras chargés ? »

Encouragez le succès, ignorez les erreurs

Davis compte sur l'entraînement avec le clicker pour enseigner aux chiens à maîtriser des habiletés essentielles et à les exécuter avec élan et précision, et ce, sans les punir. Pour elle, l'entraînement est un apprentissage où l'erreur n'existe pas.

« L'entraînement au clicker permet aux personnes physiquement limitées d'entraîner leur chien les mains libres, explique Davis. J'essaie de trouver des façons créatives de faire cela sans recourir à la punition physique. La seule punition qui existe est la punition négative. Par exemple, les bonnes choses, comme les félicitations et l'attention, s'arrêtent quand le chien saute sur moi. Je lui tourne alors le dos jusqu'à ce qu'il se calme et s'assoie. Les chiens apprennent rapidement que les récompenses arrivent quand ils agissent bien et qu'elles s'arrêtent quand ils agissent mal. »

Davis est une adepte inconditionnelle de l'entraînement avec le clicker parce que cette méthode conditionne un chien au succès grâce au renforcement positif et aux récompenses offertes sans stress. On ignore les fautes, qui font partie du processus d'apprentissage, et on récompense les succès. « La méthode du clicker permet de transmettre de l'information au chien d'une manière neutre, non menaçante. Quand un chien comprend qu'il ne sera pas puni pour ses fautes, il participe activement à la résolution des problèmes et l'apprentissage est une fête. »

Les rudiments de l'entraînement avec le clicker

Il s'agit d'une méthode qui décompose les exercices en brèves étapes. Chaque fois que le chien exécute correctement ce qu'on lui demande, on le récompense d'un coup de clicker (qui tient dans la paume de la main). On recourt d'abord à un premier renforcement (par exemple la nourriture préférée du chien), puis à un « renforcement conditionné », le clicker, associé au renforcement initial. Ces deux éléments conjugués forment une méthode d'entraînement efficace basée sur la communication.

Pour enseigner à votre chien que le son du clicker précède une chose agréable, Davis recommande de cliquer et de lancer au chien une gâterie (celle-ci doit être petite et tendre afin d'être rapidement ingérée). Cliquez et récompensez-le plusieurs fois de suite, puis voyez si l'animal commence à anticiper le clic. Poursuivez avec un signal d'attention en prononçant le nom de votre chien. Chaque fois que celui-ci vous regarde, cliquez et offrez-lui une friandise. Rappelez-vous que le clic doit se produire à l'instant précis où le chien exécute le comportement demandé. Pratiquez cela à l'intérieur et à l'extérieur avec de plus en plus de distractions environnantes.

« L'entraînement au clicker écarte le flou dans l'apprentissage, explique Davis, car le clic indique au chien quand il réussit, éliminant pour lui toute confusion. »

Une fois que votre chien réagit bien au clicker, vous êtes prêt à passer à la seconde étape : le renforcement variable, où il s'agit d'exiger plusieurs tâches avant de faire entendre le clic, puis de ne récompenser que le meilleur essai. Par cette méthode, votre chien continue d'exécuter l'ordre dans l'espoir de recevoir une récompense.

Davis recommande des séances d'entraînement de trois à cinq minutes, à heure fixe, pour que l'apprentissage fasse partie de la routine quotidienne de votre chien.

L'entraînement avec cible

La réussite de nombreuses tâches d'assistance est facilitée par ce que Davis appelle l'entraînement avec cible. L'objectif est d'enseigner à votre chien à toucher un objet du museau ou de la patte. Une fois qu'il a appris cela, il peut fermer les portes, sonner chez quelqu'un ou appeler l'ascenseur. Au cours de ce type d'entraînement, le chien apprend vite à

s'intéresser à la cible plutôt qu'à la nourriture. « Les chiens d'utilité ne sont pas autorisés à renifler le sol ou à manger des restes de nourriture sur les planchers des restaurants ou sur les trottoirs, explique Davis, alors j'utilise le bâton cible pour enseigner plusieurs comportements et pour détourner l'attention du chien de la nourriture. »

Au début, cependant, on peut recourir à la nourriture pour enseigner l'entraînement avec cible. Davis propose les étapes suivantes :

1. Sur le couvercle d'un pot de café, collez un ruban adhésif des deux côtés et fixez ce couvercle sur une porte, à soixante centimètres du sol.
2. Badigeonnez le couvercle avec le jus d'un emballage de saucisses pour faire saliver le chien.
3. Chaque fois que le chien touche la cible du museau, cliquez et donnez-lui une friandise.
4. Enlevez le couvercle et tenez-le dans votre main. Cliquez et récompensez le chien chaque fois qu'il touche du museau le centre du couvercle.
5. Montez et descendez le couvercle en

encourageant votre chien à le toucher dans chacune de ces positions. Cliquez et récompensez-le chaque fois qu'il touche le centre de son museau.

6. Ajoutez des distractions, comme des bruits, afin que votre chien apprenne à se concentrer.

Enseigner de nouvelles habiletés

Les chiens d'utilité peuvent effectuer une variété de tâches pour satisfaire des besoins spécifiques de leur maître. Par exemple, l'entraînement avec cible peut conduire un chien à fermer et ouvrir une porte ou un tiroir, à obéir à l'ordre « laisse ! », à rapporter un objet et à aider à faire le lit.

FERMER UNE PORTE

Frottez une friandise sur le centre d'un couvercle d'un pot de café et assurez-vous d'avoir à portée de la main le clicker et d'autres gâteries. Fixez le couvercle sur la porte d'un placard. Chaque fois que votre chien touche le couvercle, cliquez et récompensez-le. Ensuite, entrebâillez la porte de quelques centimètres. Laissez le chien s'avancer pour toucher la porte du museau. Celle-ci devrait à peine bouger. Cliquez et récompensez votre chien au moment où il touche la porte du museau ou de la patte, assez fort pour la faire bouger.

Vous êtes prêt à passer à l'étape suivante. Abstenez-vous de cliquer jusqu'à ce que votre chien appuie plus fort sur la porte. Ouvrez la porte de trois centimètres et cliquez ; puis de cinq à six centimètres et cliquez. Continuez jusqu'à ce que la porte soit grande ouverte. Joignez un mot-clé à l'action, comme « pousse » ou « ferme ». Prononcez ce mot juste avant de cliquer, mais après que votre chien a commencé à avancer vers la porte.

Une fois que le chien sait comment fermer la porte du placard, essayez avec d'autres portes, puis avec des tiroirs, qui nécessitent un peu plus d'effet de levier. Soyez plus indulgent quand vous changez de pièce : si l'animal sait fermer la porte du salon, il ne saura peut-être pas instantanément fermer celle de la salle de bains.

OUVRIR UNE PORTE

Quand vous enseignez à votre chien à ouvrir une porte, il faut d'abord lui montrer comment tirer ou pousser à votre signal. Davis recommande de placer une friandise sur une tablette à l'intérieur d'un placard et de fermer la porte.

Attachez ensuite un chiffon à vaisselle à cette porte et agitez-le jusqu'à ce que le chien l'agrippe. S'il tire sur le chiffon, la porte s'ouvrira un peu. À ce moment précis, cliquez et récompensez le chien. Quand l'animal a compris, attendez qu'il commence à ouvrir la porte avant de cliquer, puis laissez-le prendre sa friandise. Ensuite, enlevez le chiffon et laissez le chien tirer sur la porte. Cliquez et récompensez-le chaque fois qu'il ouvre la porte en utilisant son museau ou sa patte.

Finalement, joignez à cette action un mot-clé, comme « ouvre », une fois que le chien a commencé à se diriger vers la porte. Dites le mot juste avant de cliquer. Avec le temps, votre chien associera cet ordre avec l'action d'ouvrir une porte. Pratiquez cet exercice avec différentes portes, dans différentes pièces de la maison.

LAISSE !

Les chiens d'utilité doivent être très disciplinés et capables de résister aux tentations, par exemple les débris de nourriture sur le plancher des restaurants. Pour ce faire, Davis recommande de lui enseigner l'ordre « laisse ! ».

PHOTO PAR TIM LOOSE

PHOTO PAR DEBI DAVIS

À la maison, formez deux poignées de nourriture. L'une doit contenir quelque chose d'irrésistible pour le chien, comme des morceaux de fromage ou de saucisse à hot-dog. L'autre sera moins tentante (de la nourriture sèche sans saveur particulière). Disposez la première poignée sur une table derrière vous et tenez l'autre, la moins intéressante, dans votre main. Tendez la main au chien, le poing fermé, pour qu'il puisse la flairer sans y avoir accès. Au moment où il recule, regarde ailleurs ou ignore ce que vous tenez, cliquez et récompensez-le avec la nourriture savoureuse qui est sur la table derrière vous.

Répétez cela plusieurs fois. Votre chien est en train d'apprendre à renoncer à une chose pour une autre bien plus intéressante, attitude du « chien zen » dans les cercles d'entraînement au clicker. Ensuite, vous êtes prêt à ouvrir la main pour montrer les morceaux de nourriture sèche. Chaque fois que votre chien les ignore, cliquez et donnez-lui la nourriture qu'il préfère. Mettez maintenant un peu de nourriture savoureuse dans votre main et fermez le poing si votre chien s'y intéresse trop. Dès qu'il regarde ailleurs, cliquez et donnez-lui quelque chose qui est sur la table. Une fois qu'il a compris, dites le mot-clé « laisse ! » juste avant de cliquer, au moment où votre chien se détourne de ce qu'il y a dans votre main. Mettez la nourriture moins bonne sur le sol et répétez le mot-clé. Ajoutez des morceaux de nourriture savoureuse sur le petit tas et dites : « Laisse ! » Prononcez le mot-clé sur un ton neutre et naturel pour que ce soit clair qu'il s'agit d'un signal et non d'une punition.

Finalement, déposez toutes les récompenses sur le plancher. Mettez la laisse au chien et marchez à côté de cette nourriture. Donnez le signal « laisse ! » juste comme vous approchez de la nourriture. Renforcez l'instant où le chien regarde ailleurs : cliquez et récompensez-le.

RAPPORTER UN OBJET

Davis compte sur Peekaboo comme sur une deuxième paire de mains pour aller quérir toutes sortes de petits objets. Rapporter des choses est un comportement essentiel pour les chiens d'utilité, mais peut être enseigné à n'importe quel chien. Le vôtre peut vous apporter un magazine, un livre, le téléphone sans fil ou même la télécommande du téléviseur. Pour ce faire, l'animal doit apprendre à aller vers l'objet pour le ramasser, le tenir délicatement dans sa gueule, vous l'apporter et s'asseoir jusqu'à ce que vous lui demandiez de le laisser tomber entre vos mains.

Pour maîtriser cette habileté, il faut procéder en dix étapes. Utilisez la méthode avec le clicker et progressez en tablant sur chaque petit succès. Chaque étape est le maillon d'une chaîne : chaque lien doit être assez fort pour supporter le suivant. Ignorez les erreurs. Votre chien comprendra que, s'il n'entend pas le clic, il doit essayer autre chose pour que vous cliquiez et le récompensiez.

Pour apprendre à votre chien à vous apporter quelque chose, il vous faut :

- un crayon ;
- une friandise tendre, rapide à avaler et qui n'a pas besoin d'être mâchée ;

- un clicker;
- une pièce calme, sans distraction.

DIX ÉTAPES POUR ENSEIGNER L'ORDRE « CHERCHE ! »

1. Frottez une friandise au milieu d'un crayon pour donner envie à votre chien de le renifler.
2. Asseyez-vous par terre et tendez le crayon au chien. Vous êtes en train de lui enseigner à toucher le milieu du crayon. Cliquez à la seconde précise où son museau touche le crayon et donnez-lui immédiatement une friandise. Répétez cela plusieurs fois en déplaçant le crayon de haut en bas, de gauche à droite.
3. Retardez le clic quand le chien reniflera de nouveau le crayon. Il voudra continuer le jeu, mais vous voulez qu'il touche l'objet de ses lèvres. Cliquez au moindre contact, s'il lèche le crayon ou le touche du bout des lèvres.
4. Après que votre chien aura plusieurs fois touché le crayon de ses lèvres, retardez le clic pour qu'il en fasse davantage. Votre chien écartera sans doute les lèvres, ou mordra peut-être le crayon. Cliquez au moment où il fait cela et donnez-lui une friandise. Répétez souvent cette étape, mais cliquez et récompensez-le uniquement quand il utilise sa gueule, et non son museau.
5. Attendez qu'il soit un peu frustré et qu'il serre les dents sur le crayon. Soyez prêt à cliquer en même temps qu'il le fait. Répétez cela plusieurs fois à différents endroits.
6. Maintenant, votre chien doit apprendre à tenir plus longtemps le crayon entre ses dents avant d'entendre le clic. Il est très important de ne pas aller trop vite, mais d'augmenter progressivement le temps de la préhension. Une fois qu'il réussit à tenir le crayon pendant cinq secondes, déplacez l'objet dans toutes les directions pour permettre au chien d'être à l'aise avec l'objet dans sa gueule. Souvenez-vous que le clic annonce la fin de l'exercice, et que ce n'est pas important si le crayon tombe par terre et que vous ne pouvez l'attraper. Ne cliquez que lorsque l'animal tient solidement le crayon dans sa gueule.
7. Joignez à la performance un mot-clé, comme «donne!». Prononcez-le juste avant de cliquer. Votre chien devrait main-

PHOTO PAR TIM LOOSE

tenant pouvoir ramasser le crayon et le tenir dans sa gueule durant plusieurs secondes. Dites « donne ! » et cliquez immédiatement, puis récompensez-le quand il vous donne le crayon.

8. Quand, à votre signal, le chien lâche le crayon, ajoutez un peu de distance. Tenez le crayon de plus en plus près du sol, jusqu'à l'y déposer. Exercez votre chien à le ramasser, à le tenir, puis à vous le donner. Au début, vous devrez peut-être cliquer et récompenser le chien à chaque petit mouvement vers le crayon. Plus tard, retenez le clic tant que l'animal n'arrive pas à tenir fermement le crayon dans sa gueule et à le lâcher au signal.

9. La façon d'ajouter l'ordre « cherche ! » est d'attendre que le chien s'éloigne de vous pour lui dire de rapporter le crayon. Comme il s'éloigne, dites « cherche ! » et répétez cette étape plusieurs fois pour en renforcer l'exécution. Votre chien finira par associer cet ordre avec le geste d'aller chercher le crayon pour vous. Le but visé ici n'est pas la vitesse d'exécution, mais bien la précision des gestes. Les chiens

PHOTO PAR TIM LOOSE

qui se hâtent peuvent ne pas avoir une prise solide sur le crayon et le rendre en vitesse juste pour tout recommencer.

10. Développez cette habileté en la pratiquant dans d'autres pièces de la maison. Graduellement, introduisez de légères distractions pour habituer votre chien à se focaliser sur le crayon et les mots-clés. Une fois que le chien peut ramasser le crayon n'importe où, que vous soyez assis ou debout, diversifiez la procédure. Exercez votre chien à aller chercher des objets en bois ou en plastique, comme des brosses à cheveux ou des télécommandes. Passez ensuite aux objets en métal comme des clés de voiture. Puisque le métal l'intéresse moins, vous devrez peut-être récapituler les étapes : renifler, réagir, ouvrir la gueule et tenir l'objet. Cela n'exigera pas autant de temps que lors du premier apprentissage, mais il faudra des friandises irrésistibles pour l'inciter à mettre dans sa gueule un objet qu'il n'aime pas.

Derniers conseils. Enseignez à votre chien à identifier les différents objets qu'il doit rapporter. Faites attention à ne pas utiliser des mots aux sonorités semblables, qui pourraient confondre le chien. Enseignez les noms des objets un à la fois, joignant le nom à la tâche demandée : « Cherche le crayon ! Cherche la télécommande ! » S'il ne ramasse pas le bon objet, ne cliquez pas. Ne le punissez pas, mais refusez ce qu'il rapporte. Par contre, dès qu'il identifie le bon objet et le saisit entre ses dents, cliquez et récompensez-le. S'il le laisse tomber, c'est bien. À cette étape, il n'a pas à vous le rapporter : choisir le bon objet suffit. Ensuite, semez dans la maison différents objets, mais dites : « Cherche le crayon ! » Quand il saura distinguer le crayon des autres objets, vous enrichirez son vocabulaire en ajoutant d'autres éléments associés à leur mot-clé.

AIDER À FAIRE LE LIT

Pour ce faire, enseignez d'abord au chien à tirer sur un morceau de tissu à votre signal, puis à le relâcher. Lorsqu'il tire sur le tissu chaque fois que vous le lui tendez, dites un mot-clé, « tire » ou « prend ». Les friandises ne sont pas absolument nécessaires si le chien adore ce jeu.

Enseignez-lui ensuite à relâcher l'objet à votre signal. Un moyen facile est de cesser de tirer et de tenir le tissu sans le bouger. Beaucoup de chiens vont simplement s'arrêter et abandonner l'objet quand il n'y aura plus de mouvements. Si votre chien s'acharne, soufflez-lui sur le museau pour lui faire lâcher prise. Cliquez au moment où il abandonne et offrez-lui une friandise. Une fois que votre chien maîtrise cela, ajoutez le mot « donne » ou « lâche » juste au moment où il le fait. Répétez cela de nombreuses fois pour que votre chien apprenne à associer le mot avec le comportement désiré. Cliquez et récompensez-le chaque fois qu'il réussit.

Pour enseigner à votre chien à reculer, tenez-vous debout, face à lui, et avancez d'un pas. Ce mouvement devrait le faire reculer d'un pas. Au moment où il le fait, cliquez et donnez-lui une friandise. Pratiquez cela jusqu'à ce que votre chien recule de deux ou trois pas ou plus. Commencez à ajouter le mot-clé « recule » à l'instant où il le fait, puis cliquez et récompensez-le. Pratiquez cela dans différentes pièces de la maison.

Par la suite, allez dans la chambre à coucher. Ordonnez à votre chien de grimper sur le lit, sa tête face au pied du lit. Vous devez rester au même endroit pendant que votre chien recule jusqu'à la tête du lit. Dites-lui « tire » ou « prends ». Il doit tirer sur le drap en reculant. S'il ne le fait pas, utilisez l'ordre « recule » pour qu'il bouge dans la bonne direction. Soyez patient et travaillez lentement pour qu'il ne devienne pas frustré. Cliquez et récompensez-le chaque fois qu'il recule un peu avec le coin du drap entre les dents. Signalez-lui de lâcher prise quand il a tiré le drap sur une bonne distance vers la tête du lit, puis placez-vous de l'autre côté du lit pour répéter ces étapes. Finissez avec les oreillers. Debi Davis entraîne les gros chiens à travailler à côté du lit et non perchés dessus, mais les étapes de l'entraînement sont les mêmes.

Vieillir en beauté : enseigner de nouveaux comportements à un vieux chien

Profil d'entraîneur : Terry Ryan

Par la fenêtre de la classe de troisième année, Terry Ryan remarque qu'un cocker américain rôde dans la cour d'école. Jour après jour, il apparaît dans l'après-midi, espérant recevoir des écoliers un peu d'attention, voire des friandises. La jeune Terry, qui désire avoir un chien, décide d'attirer cet animal affamé jusque chez elle. Mais quand le père voit le chien gravir l'escalier de la maison familiale de Glassboro (New Jersey), il lance un regard noir à sa fille. « Mon père est né en Sicile où les chiens errants étaient enragés, explique Terry. Il n'était pas question que je le garde. Heureusement, mes quatre frères et sœurs sont intervenus pour le faire changer d'avis. »

Nommé Smokey, ce chien n'était pas un modèle d'obéissance. Il fuguait souvent, chassait les chats du voisinage, piétinait les potagers. Un jour, Smokey mordit le prêtre de la paroisse qui était venu collecter la dîme. « J'étais honteuse, dit Terry, mais nous ne connaissions rien à l'éducation des chiens. Smokey vécut onze ans et n'apprit aucun tour d'adresse, mais il me rendait heureuse. »

L'amour de Terry pour les chiens la conduisit à épouser Bill, son amoureux du temps de l'école secondaire. « Il me rappelait Jeff, le

PHOTO PAR JENNIFER EDWARDS

garçon de l'émission *Lassie.* » Après s'être marié en 1966, le couple déménagea à Albuquerque (Nouveau-Mexique), partageant leur maison avec un berger allemand, Honcho, qui fut beaucoup plus facile à dresser que Smokey. « Nous avons commencé à l'entraîner comme un chiot. Il allait chercher les journaux et les déposait sur la table. Nous lui disions quand aller au lit et il se couvrait lui-même d'une couverture pour dormir. Il faisait tout cela sans récompense. » Un voisin qui possédait un caniche encouragea Terry à emmener Honcho dans une classe d'obéissance. Terry accepta et Honcho se classa premier : il maîtrisa rapidement et aisément chaque tâche demandée, ce qui encouragea Terry à s'impliquer dans le milieu. Finalement, elle devint juge d'épreuves d'obéissance de l'American Kennel Club (Club des chenils américains).

Quand Bill, un souffleur de verre scientifique, accepta un poste à l'Université de l'État de Washington, Terry décrocha un emploi comme coordinatrice des programmes pour le doyen de l'école vétérinaire de la même université. Son style engageant et créatif fut remarqué, ce qui lui valut plus tard le poste de coordonnatrice des programmes de l'Association des propriétaires d'animaux de compagnie. À ce titre, elle alla enseigner l'entraînement canin à l'étranger. « Une Japonaise m'invita dans son pays en 1989 et depuis lors j'y retourne chaque année. »

Ainsi, Terry Ryan acquit une vision globale de l'entraînement canin et s'ouvrit aux autres cultures, et sa méconnaissance de la langue japonaise cessa d'être un inconvénient le jour où elle décida de « penser chien ».

« Les entraîneurs canins ont l'habitude de surmonter les barrières linguistiques, explique-t-elle, surtout quand ils doivent communiquer avec les maîtres. Mais les chiens, eux, utilisent une langue universelle : le langage du corps. Si nous suivons cette piste, tout devient simple, où que nous soyons dans le monde. »

Aujourd'hui, Terry passe de trois à quatre mois par année à Tochigi, au Japon, à titre de directrice de l'École des amis des animaux. Elle dirige aussi le Programme national du bon citoyen du Japon et dresse des chiens d'aveugle. « Mon premier voyage là-bas fut un choc culturel, mais c'est le pays le plus exotique que j'aie visité. Depuis 1989, j'ai remarqué le

renforcement du lien entre les gens et les chiens. On voit maintenant plus de chiens accompagnant leur maître dans les lieux publics. » Et Terry parle de mieux en mieux le japonais : *Osuware !* — Assis ! *Oide !* — Viens ! *Liko !* — Bien !

« Maintenant, je connais suffisamment la langue pour diriger une classe, mais je continue à lire le langage du corps, tant celui des chiens que celui des maîtres. »

Ses connaissances lui ont permis de fonder deux entreprises : Legacy Canine Behavior and Training, qui élabore des conférences et des camps d'entraînement à travers le monde ; et Legacy By Mail, une boutique électronique de produits pour les animaux de compagnie.

Quand elle ne parcourt pas le monde, Terry et son mari profitent de la vie avec leur cocker, Brody. Leur maison de Sequim (Washington), située dans un domaine de six acres fréquemment visité par des élans, est remplie d'objets d'art aborigène — paniers, masques et tambours. « On dirait un musée ethnographique. » Les fenêtres du salon donnent sur le détroit Juan de Fuca et l'océan Pacifique, où migrent les baleines grises. Et quand *Lassie* ou *Rin Tin Tin* repassent à la télé, le trio est rivé au petit écran !

Introduction

Peut-être avez-vous adopté un chien âgé dans un refuge de votre région. Ou peut-être

avez-vous découvert avec consternation que le chien que vous avez élevé est devenu une véritable peste : il semble avoir oublié tout ce que vous lui aviez patiemment enseigné. Contrairement à la croyance populaire, on peut inculquer à un vieux chien de nouveaux comportements et rafraîchir sa mémoire par des moyens amusants et positifs. Pas besoin d'utiliser la force ni les punitions. Dans ce chapitre, Terry Ryan vous aidera à améliorer votre autorité et à rétablir l'harmonie entre vous et votre chien.

Tout d'abord, sachez que de nombreux chiens ont des manières détestables parce que leur maître est faible ou qu'il donne des ordres incohérents. Un jour, le chien a la permission de fainéanter sur le divan, mais le lendemain, devant des visiteurs, il n'en est plus question. Ces exigences peuvent être déroutantes pour un chien. Vous devez donc établir clairement que vous êtes le maître. Soyez ferme, mais gentil et cohérent, et votre chien se sentira en sécurité avec vous. Naturellement, un chien a tendance à répéter certains comportements, comme creuser le sol pour se rafraîchir un jour de canicule. Il s'agit d'un des nombreux principes du « conditionnement opérant » suivant lequel le chien répétera une action qui conduit à un résultat agréable et satisfaisant. Ryan recommande d'utiliser ce principe à votre avantage. Si, par exemple, vous félicitez et caressez votre chien chaque fois qu'il accourt vers vous quand vous l'appelez, il sera enclin à vous obéir. Cependant, si vous appelez votre chien pour le gronder parce qu'il a renversé les poubelles ou pourchassé le chat du voisin, il fera peut-être la sourde oreille la prochaine fois que vous l'appellerez.

Montez à bord du *YES TRAIN*

L'approche de Terry Ryan face aux comportements indésirables, comme l'aboiement, se résume par l'acronyme anglais *YES TRAIN*:

Yield a little — **Céder un peu**
Eliminate the cause — **Éliminer la cause**
Systematic desensitization — **Désensibilisation systématique**
Take away the reward for the bad behavior — **Pas de récompense pour un mauvais comportement**
Reward an incompatible behavior — **Récompenser un comportement incompatible**
Acclimate the dog — **Accoutumer le chien**
Improve the dog's association — **Améliorer sa capacité d'associer des idées**
Not much nasty stuff — **Éviter la brutalité**

CÉDER UN PEU

Les maîtres compétents constatent rapidement la valeur d'un compromis avec les chiens. Sans nécessairement tout leur céder, le fait de lâcher du lest peut améliorer votre vie commune. Ryan souligne que les compromis peuvent aider les maîtres qui disposent de peu de temps ou qui ne sont pas très habiles pour entraîner leur chien âgé. Cependant, ne faites aucun compromis quand le problème menace certaines personnes ou votre chien lui-même. Par exemple, si le chien est agressif, consultez votre vétérinaire, un entraîneur ou un spécialiste en comportement canin.

Supposons que vous vouliez diminuer les aboiements du chien. Tentez un compromis en lui permettant de japper dans la partie de la cour la plus éloignée des voisins, ou laissez-le se satisfaire avec trois brefs aboiements avant de le faire taire.

ÉLIMINER LA CAUSE

Les chiens ont souvent une bonne raison pour faire ce qu'ils font. Jouez au détective et essayez d'identifier la cause de tout comportement indésirable. Un vieux chien qui se met à uriner sur le tapis du salon peut souffrir d'une maladie des reins ou de la vessie. Un chien qui ignore vos appels peut souffrir d'une otite, de surdité ou du syndrome du dysfonctionnement cognitif, une maladie nouvellement reconnue qui équivaut à la démence. Il peut aussi se sentir perdu, voire étranger dans sa propre maison. En cas de doute, faites-le examiner par votre vétérinaire.

Supposons que votre chien est en bonne santé, mais qu'il continue d'aboyer de façon excessive. Identifiez d'abord les moments où il aboie. Cela se passe-t-il toujours de la même façon, dans le même contexte, par exemple durant les orages, ou le dimanche matin ? Ce problème est-il apparu récemment ? Depuis que vous avez emménagé dans votre nouvelle maison, depuis le retour des vacances ou depuis que votre fille est partie étudier à l'université ? Où aboie-t-il ? Dans la maison, dehors, ou les deux ? Le fait-il contre tout ou seulement contre une personne ou un objet en particulier ? Demandez aux voisins ou aux membres de la famille de noter les moments où il aboie quand vous n'êtes pas là, ou laissez un magnétophone en marche. Vous allez peut-être découvrir que votre chien est malade, ou qu'il aboie par

ennui, par anxiété quand il est seul. Éliminer la cause des problèmes peut les résoudre, mais cela ne changera pas son attitude dans d'autres situations semblables. Votre chien peut cesser d'aboyer à l'arrivée du facteur parce que vous le gardez avec vous dans la cuisine à ce moment-là, mais cela ne l'empêchera pas de le faire à l'arrivée inopinée d'un livreur.

LA DÉSENSIBILISATION SYSTÉMATIQUE

Ici, il faut penser et agir en psychologue. Faites une séance d'entraînement où les causes de l'aboiement sont présentes à un très faible degré, puis augmentez graduellement l'intensité de la stimulation en évitant de provoquer les jappements. Continuez tant que l'animal est capable de le supporter, mais agissez lentement, sinon vous risquez d'angoisser votre chien. Pour illustrer cette tactique, Ryan cite l'exemple d'un maître qui communique clairement avec son chien: « Freddy, je veux que tu cesses d'aboyer chaque fois que tu me vois prendre ta laisse. Nous allons travailler cela ensemble. D'abord, je vais seulement regarder la laisse. Si tu restes calme, je vais la prendre plusieurs fois par jour. Souvent, je vais simplement la remettre à sa place, mais parfois je vais l'accrocher à ton collier, puis l'enlever et la remettre, et de temps en temps nous irons faire une promenade. »

PAS DE RÉCOMPENSE POUR UN MAUVAIS COMPORTEMENT

Cette méthode, appelée « extinction » en psychologie, n'exige que peu de temps, d'effort ou d'habileté, et elle évite les confrontations. Vous devez d'abord savoir que la plupart des comportements sont maintenus par les récompenses qui y sont rattachées. Quelques-unes sont si subtiles que seul le chien les remarque. Cependant, une fois que vous aurez identifié la récompense qui sous-tend le comportement indésirable, en l'occurrence l'aboiement, et que vous l'aurez éliminée, ce comportement s'atténuera probablement.

Supposons que votre chien aboie dans le jardin au passage des gens. Chaque fois, vous sortez pour lui crier de se taire. Ce que vous faites est en réalité une récompense à ses yeux, parce qu'il a trouvé le moyen d'attirer votre attention : quand il aboie, vous réagissez. La prochaine fois, ignorez-le et voyez si l'aboiement diminue. En fait, il est probable que, pour un temps, le problème s'aggravera, mais ce phénomène est normal et temporaire. Pour un succès complet, vous devrez vous armer de patience. Mais l'aboiement finira par diminuer.

« Mais soyons réalistes, dit Ryan. Il peut être difficile d'ignorer les aboiements à cause des plaintes des voisins. Quoi qu'il en soit, vous devez vous mettre dans la peau de votre chien pour découvrir ce qui le bouleverse ou le fait aboyer. C'est seulement alors que vous pourrez supprimer la cause du problème. »

RÉCOMPENSER UN COMPORTEMENT INCOMPATIBLE

Sur le plan émotif, les chiens ne peuvent être à la fois tristes et heureux. Sachant cela, entraînez et récompensez votre chien pour un comportement incompatible avec un autre qui est acceptable.

Par exemple, supposons que votre chien bondit violemment sur la porte dès qu'on l'entrouvre. Pour contrer ce comportement inapproprié, faites asseoir le chien chaque fois que vous vous apprêtez à ouvrir cette porte. Le fait pour le chien de s'asseoir pendant qu'on ouvre la porte est incompatible avec l'action de sortir en flèche.

À la seconde où votre chien quitte sa position assise, contrez sa réaction en fermant la porte. Ainsi, votre chien comprendra que, s'il veut sortir, il vaut mieux qu'il s'assoie patiemment plutôt que de se ruer dans l'entrebâillement de la porte.

ACCOUTUMER LE CHIEN

Il s'agit d'exposer le chien à un stimulus qui cause un problème, dans un contexte sécuritaire et sous surveillance, pour qu'il s'y habitue progressivement. Cette technique exige du temps, mais elle est particulièrement efficace pour les chiens craintifs ou surexcités. Votre chien panique quand vous passez l'aspirateur ? Ryan recommande de mettre l'appareil (débranché) dans le salon. Sans le récompenser ni le punir, laissez votre chien l'inspecter et s'en éloigner à son gré. Dans cet environnement neutre, le chien finira par comprendre que l'aspirateur est sans danger et il se calmera.

AMÉLIORER SA CAPACITÉ D'ASSOCIER DES IDÉES

Les psychologues nomment cette étape le « contre-conditionnement », parce qu'elle lie une chose déplaisante à une chose agréable. Les chiens ont une excellente mémoire, ce qui rend cette méthode d'entraînement très efficace. Peut-être que votre chien déteste aller en auto parce qu'il associe cela à la visite redoutée chez le vétérinaire ou à une soirée ennuyeuse passée au chenil. Il vous suffit donc d'emmener souvent votre chien au parc en auto, ou chez vos parents qui l'adorent. Au lieu de toujours associer l'auto à des activités désagréables, votre chien y verra la promesse d'aventures amusantes.

ÉVITER LA BRUTALITÉ

Frapper le chien avec un journal, tirer brusquement sur sa laisse, hurler, le secouer et le plaquer au sol sont des méthodes qui fonctionnent rarement. Ces punitions peuvent bien sûr interrompre momentanément un mauvais comportement, mais elles sont rarement des solutions permanentes. De plus, elles peuvent blesser l'animal et empirer sa peur et son anxiété. « Si un chien s'angoisse et jappe contre le facteur et que vous lui criez de se calmer, dit Ryan, vous provoquez chez lui une double anxiété et il se mettra à avoir peur à la fois de vous et du facteur. »

Vous pouvez regretter amèrement une punition physique qui aura transmis un message erroné au chien. Par exemple, votre chien se met à tirer sur sa laisse pour aller flairer une personne qui s'approche. Pour le contrer, vous donnez un coup sec sur la laisse et lui criez : « Mauvais chien ! » Votre chien peut comprendre qu'il a mal agi en tirant sur sa laisse, mais il peut aussi penser

que la personne dont il voulait s'approcher est mauvaise. Certains chiens perçoivent en réalité la punition comme une récompense. Si votre chien aboie quand vous recevez des amis et qu'à cause de cela vous l'enfermez au sous-sol, il peut penser : « Chouette ! Enfin un endroit pour être tranquille. La prochaine fois, je saurai quoi faire pour avoir la paix. »

Enfin, le fait d'utiliser inutilement la force peut mettre en péril le lien d'amitié et la confiance qui vous unissent à votre chien. Ce dernier pourrait se mettre à voir votre main comme une menace, et non plus comme une main amie.

Des outils pour résoudre rapidement un problème

Contrairement aux colliers étrangleurs ou aux colliers à pince, le licou est un outil doux et efficace pour corriger les comportements indésirables, comme l'aboiement excessif ou la manie du chien de tirer sur sa laisse durant vos promenades. « Si vous contrôlez la tête, vous contrôlez le chien, dit Ryan. Un licou s'appuie sur les maxillaires du chien et n'exerce pas de pression sur la gorge, mais il vous permet de contrôler l'animal physiquement et même psychologiquement, puisque, pour la plupart des chiens, le licou est comme le prolongement de votre autorité. »

Pendant la promenade, si votre chien semble plus intéressé à renifler les ordures qu'à marcher tranquillement à vos côtés, recourez aux friandises ou aux jouets. Avant d'aller marcher, insérez dans la poche de votre veste des gâteries dont votre chien raffole.

Par intervalles, au cours de la promenade, appelez votre chien par son nom. Dès qu'il se tourne vers vous, donnez-lui une friandise. Cela vous aidera à freiner son attirance pour les poubelles ou pour toute autre distraction pendant que vous marchez ensemble.

Des remèdes pour le chien laissé seul à la maison

Les maîtres peuvent éviter les mauvais comportements dus à l'anxiété de la séparation en rendant la maison joyeuse, sécuritaire et amusante. Terry Ryan propose des méthodes simples pour faire de votre chez-vous un vrai paradis pour votre chien quand vous vous absentez :

- **Mettez votre maison « à l'épreuve du chien ».** Considérez le chien comme un bébé qui commence à marcher. Faites le tour de la maison, pièce par pièce, à la recherche de tout ce qui pourrait le blesser. Prévenez l'empoisonnement accidentel en installant des loquets sur les armoires, dans la cuisine et la salle de bains ; en mettant les plantes hors de sa portée ; et en lui interdisant l'accès au garage où il risquerait de lécher des produits toxiques. Abaissez le couvercle des toilettes. Rangez les pots de bonbons, la monnaie éparse, les bijoux, etc.
- **Préparez une fête gourmande.** Quelques minutes avant de partir, remplissez un jouet de caoutchouc dur et creux avec la nourriture préférée de votre chien et quelques friandises (beurre d'arachide, fromage à la crème, banane écrasée, gâteau de riz, etc.). Votre chien sera tellement occupé à extirper ces gâteries de son jouet qu'il ne remarquera pas votre absence. Cette tactique aide à freiner les penchants destructeurs, l'impatience et l'anxiété

Utilisez le licou pour corriger en douceur et avec efficacité des comportements indésirables, par exemple l'aboiement excessif.

attribuables à la séparation. N'oubliez pas de bien laver ces jouets de caoutchouc au moins une fois par semaine.

- **Évitez les départs et les arrivées trop émotionnels.** Chaque fois que vous quittez la maison et que vous rentrez, ne le claironnez pas. Souvent, les maîtres angoissent involontairement leur chien en dramatisant leur départ : « Excuse-moi, Fido, je dois aller travailler aujourd'hui. » Ou, au retour : « Allô, Fido ! Devine qui vient d'arriver ? » Avant de quitter la maison, donnez à votre chien une friandise ou faites-lui faire quelque chose ; et au retour passez dix minutes à lire votre courrier avant de vous adresser à lui. Il apprendra à patienter avant d'obtenir toute votre attention.
- **Organisez une chasse à la bouffe.** La plupart des chiens aiment s'activer. Enseignez au vôtre à rechercher de la nourriture. D'abord, cachez des gâteries et dites : « Cherche la bouffe ! » Complimentez votre chien quand il trouve ces gâteries. Peu à peu, dissimulez des friandises un peu partout dans la maison — derrière une chaise, sous la table à café, en haut de l'escalier — pour occuper le chien après votre départ.
- **Téléphonez au chien.** Les chiens adorent entendre la voix de leur maître. Vous pourriez par exemple téléphoner à la maison deux fois par jour en laissant un message enthousiaste : « Salut, Fido, c'est moi, ton petit maître chéri. Je serai à la maison dans deux heures et j'ai si hâte d'aller me balader avec toi ! » Ou bien, enregistrez les conversations d'un dîner de famille ou d'une soirée entre amis, puis faites-les-lui passer durant votre absence. Rien n'est plus déprimant que le silence pour un chien.

- **Filtrez les distractions bruyantes.** Allumez la radio ou le téléviseur pour couvrir les bruits environnants, par exemple les aboiements du chien du voisin, le vacarme de la circulation ou même le grondement des orages.
- **Faites de sa cage un petit chez-soi, et non pas une prison.** Un chien ne devrait jamais rester plus de quatre heures dans une cage, et celle-ci doit être un antre d'intimité et de sécurité pour lui. Si vous le mettez dans sa cage durant huit heures ou plus, il finira par la considérer comme une prison et il réagira mal. Obligez-le plutôt à rester dans certaines pièces faciles à nettoyer, comme la cuisine ou la salle de jeux (sans tapis).
- **Aménagez de petits coins agréables partout dans la maison.** Si votre chien adore ronfler sur le sofa, étendez une couverture sur les coussins. Quand vous rentrez, enlevez la couverture et retrouvez votre sofa bien propre. En outre, installez des lits pour chiens ou mettez des couvertures dans les lieux calmes de la maison, où il y a du soleil.
- **Faites-lui faire de l'exercice.** Beaucoup de comportements destructeurs sont le fait d'un chien qui s'ennuie ou qui ne fait pas suffisamment d'exercice. Chaque jour, avant de partir au travail, allez promener votre chien durant au moins vingt minutes. Ne le faites pas rentrer dès qu'il a fait ses besoins, mais profi-

tez-en pour pratiquer certains commandements, comme « au pied ! », « assis ! » et « roule ! ». Profitez de ces moments de complicité pour renforcer la concentration mentale de votre chien par un entraînement bref et intensif. Ainsi, une fois rentré, il sera prêt à relaxer et à faire la sieste.

- **Permettez-lui de faire ses besoins.** Si vous le pouvez, installez des portes pour chiens donnant accès aux zones clôturées du jardin ou à des litières. Si la chose est impossible, demandez à des amis ou à des voisins de faire faire ses besoins à votre chien si vous prévoyez rentrer tard.
- **Variez la routine.** Gâtez votre chien en lui offrant de temps en temps une journée de toilettage ou une visite chez un voisin amoureux des chiens ou chez un professionnel en garderie animale.

DES SOLUTIONS AUX MÉFAITS LES PLUS COURANTS DES CHIENS

Le mâchonnement. Votre chien détruit votre portefeuille, votre télécommande, vos souliers, vos chaussettes, etc.
Un remède efficace : Soyez méticuleux quand vous faites le ménage. Rangez les portefeuilles et les chaussettes dans des tiroirs, la télécommande sur une tablette et les souliers dans la garde-robe. Permettez à votre chien de mâchonner plutôt des jouets de caoutchouc ou des os en nylon.

Il tire sur sa laisse. Pendant la promenade, il poursuit les écureuils, les chats ou les autres chiens, vous traînant littéralement derrière lui.
Un remède efficace : Utilisez un licou. Plus efficace et plus acceptable que le collier étrangleur ou que celui qui pince, le licou vous permet de contrôler la tête du chien, laquelle, en tournant, contrôle l'axe du corps. Durant les promenades, récompensez votre chien chaque fois que la laisse est lâche. Refusez d'avancer quand il se met à tirer.

Il creuse des trous dans le jardin. Point n'est besoin de sacrifier vos rosiers ou votre carré de framboises à votre chien fouisseur.
Un remède efficace : D'abord, protégez votre jardin avec une clôture basse mais robuste. Puis mettez à la disposition de votre chien une boîte de sable et cachez-y de temps à autre des friandises ou des jouets qui feront son bonheur pendant qu'il creusera. Envisagez l'installation d'un enclos ou d'un chenil. Vous pouvez acheter un enclos métallique dans les animaleries.

L'attirante poubelle. L'odeur des restes du poulet de la veille est irrésistible pour votre chien et vous le surprenez dans la poubelle de la cuisine, des déchets répandus autour de lui sur le plancher.
Un remède efficace : Gardez la poubelle et ses trésors odorants hors de portée du chien. Mettez-la dans l'armoire sous l'évier ou dans le garage attenant à la maison. Ou installez une barrière interdisant l'accès à la cuisine, si le chien est petit.

La fainéantise au salon. Votre chien adore s'étirer de tout son long sur le sofa, s'affaler sur votre fauteuil à bascule ou s'emparer de la causeuse.
Un remède efficace : Mettez vos fauteuils à l'envers, appuyés aux murs, pendant que vous êtes absent. Placez une plaque à biscuits sur une chaise pour la rendre moins invitante. Ou faites un compromis en couvrant vos meubles d'une couverture ou d'un drap pour que votre chien puisse y ronfler à son aise.

À l'attaque de l'aspirateur ! L'instinct de chasseur de certains chiens s'éveille à l'apparition de l'aspirateur, du tuyau d'arrosage, de la tondeuse à gazon ou de tout autre appareil ménager.
Un remède efficace : Pour désensibiliser le chien à ces appareils, approchez-les graduellement de lui. Finalement, mettez-les en marche en sa présence. Récompensez votre chien avec des friandises et félicitez-le chaque fois qu'il reste calme quand l'un de ces appareils fonctionne.

Des salutations bondissantes. Peut-être trouviez-vous cela très mignon quand votre chiot sautait sur vos invités pour les saluer, mais maintenant qu'il pèse trente kilos vos invités paniquent.
Un remède efficace : Entraînez votre chien à s'asseoir près de la porte quand vous accueillez des visiteurs. Commencez par lui mettre sa laisse en la tenant fermement pour l'empêcher de bondir. Donnez à votre visiteur des gâteries à offrir au chien seulement quand il reste bien assis. Félicitez votre chien et donnez-lui d'autres friandises s'il se tient tranquille.

Appendice A

Comment choisir un entraîneur et une classe d'entraînement

Choisir un entraîneur

Vous venez d'assister pour la première fois à une course de chiens et vous voilà décidé à participer à une compétition. Ou vous venez d'adopter un chiot et désirez lui faire commencer sa vie de la bonne patte en l'inscrivant à la meilleure classe de maternelle canine. Ou votre chien a besoin de réviser ses leçons en matière de bonnes manières et d'obéissance. En bref, vous êtes impatient de vous inscrire à une classe d'entraînement, mais vous ne savez où vous adresser.

« Vous devez absolument dénicher un entraîneur qui connaît bien les techniques d'entraînement basées sur les récompenses », dit Terry Long, entraîneur professionnel d'agilité canine et directeur du bulletin de l'Association professionnelle des entraîneurs canins de Long Beach, en Californie.

Selon Long, un entraîneur compétent doit :

- expliquer clairement chaque leçon, en répondant à toutes vos questions ;
- illustrer le comportement à enseigner en se servant d'abord d'un chien entraîné ou d'un chien de la classe pour que les étudiants puissent voir comment faire ;
- distribuer des brochures qui expliquent les exercices à faire à la maison ;
- utiliser le renforcement positif pour inculquer au maître et à son chien le comportement approprié.

Long recommande de suivre ces étapes:

- **Analysez l'aspect sécuritaire de la classe.** Dans les classes de débutants, on devrait transmettre les notions de base avec une approche récréative et coopérative, sans exiger des chiens des performances irréalistes. L'endroit doit être bien éclairé si les cours ont lieu à l'intérieur, et ombragé s'ils ont lieu à l'extérieur. Le sol doit être propre, exempt de dangers potentiels (trous ou troncs d'arbres).
- **Vérifiez les références de l'instructeur.** Les meilleurs entraîneurs ont eux-mêmes des chiens et excellent dans les sports de performance ou d'obéissance canine. Recherchez un instructeur qui a gagné des prix avec ses chiens et qui continue de se perfectionner, ou qui est juge d'agilité.
- **Assistez à deux ou trois cours avant de vous inscrire.** Les entraîneurs qualifiés acceptent volontiers cette pratique. Allez-y d'abord sans votre chien, pour observer comment l'entraîneur s'y prend pour motiver les maîtres et leurs chiens. Évaluez l'atmosphère de la classe, les exigences physiques des activités, et la qualité de la communication entre les étudiants et l'en-

traîneur. Ensuite, emmenez-y votre chien en laisse.

- **Notez le nombre d'étudiants et la durée du cours.** Le nombre d'étudiants devrait être réduit pour que chacun puisse pratiquer convenablement les nouvelles techniques avec son chien au lieu de perdre son temps à attendre son tour. Le cours ne doit pas durer plus de quatre-vingt-dix minutes pour que le chien garde toute sa concentration.
- **Rencontrez l'entraîneur.** Vous devez savoir quelles techniques utilise l'entraîneur, et pourquoi. De plus, son style doit correspondre à vos goûts. Évitez les entraîneurs qui préconisent les techniques négatives, par exemple les coups brusques sur la laisse ou sur la chaîne du collier étrangleur. Écartez ceux qui « garantissent » des résultats ou qui ont du mal à entrer en communication avec les gens. Un bon entraîneur devrait accepter de s'entretenir avec vous pendant vingt minutes ou plus, sans interruption, et transmettre clairement ses consignes aux étudiants. Finalement, procurez-vous les coordonnées d'étudiants anciens et actuels pour leur demander leur avis au sujet de l'entraîneur.

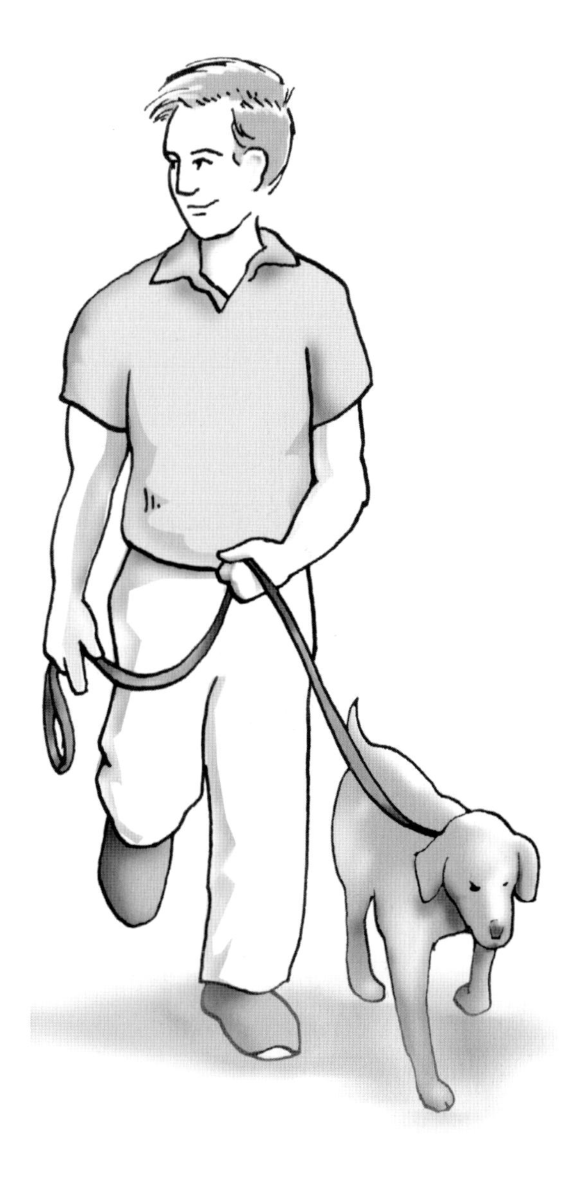

- **Fiez-vous à l'instinct de votre chien.** Pour bien apprendre ce qu'on lui enseigne, votre chien doit aimer l'entraîneur. Indices favorables : il court le saluer en se trémoussant et en remuant joyeusement la queue. Mauvais signe : il se tapit et baisse la queue chaque fois que l'instructeur approche.

QUITTEZ LES LIEUX
SI UN ENTRAÎNEUR :

- vous recommande d'utiliser un collier étrangleur pour corriger un comportement ou une action indésirable, car l'apprentissage par la douleur peut blesser votre chien ;
- vous conseille de tirer violemment sur la laisse pour stopper une action importune ;
- vous dit de pincer le dos du chien et de vous tenir au-dessus de lui, car cette attitude dominatrice peut rendre certains chiens agressifs ;
- insiste pour voir votre animal sans votre présence ;
- possède des certificats ou des diplômes acquis par correspondance, ou s'il se présente sous une fausse identité.

Choisir une classe d'entraînement

Résistez à la tentation de vous inscrire à la première classe que vous trouvez sous le prétexte qu'elle est près de chez vous. Optez plutôt pour une classe qui correspond à vos besoins et à ceux de votre chien.

Quand vous assistez à un cours, observez et notez les points suivants :

- **Le lieu.** L'endroit est-il propre et spacieux, ou exigu, sale et bruyant ? La température y est-elle fraîche en été et chaude en hiver ? Y a-t-il des poubelles et des zones réservées à la propreté du chien, avec les accessoires nécessaires ?
- **Le nombre de participants.** Y a-t-il trop ou pas assez de chiens ? Votre chien reçoit-il suffisamment d'attention ?
- **La taille des chiens.** Y a-t-il assez de gros et de petits chiens pour que le vôtre apprenne que ses congénères sont de différentes formes et de différentes tailles ?
- **L'âge des chiens.** Les experts recommandent que les classes de chiots soient réservées à des animaux qui n'ont pas plus de six mois.
- **Un assistant.** L'entraîneur a-t-il un assistant qui s'occupe des tâches administratives ?

- **La durée du cours.** Comme les chiens ne peuvent pas rester longtemps attentifs, un cours d'une heure devrait comprendre deux courtes pauses.
- **Le style d'entraînement.** L'approche est-elle positive et stimulante ou met-on l'accent sur les fautes ? L'entraîneur explique-t-il clairement et méthodiquement les raisons et le déroulement de chaque activité ? Pouvez-vous appliquer ces techniques à la maison ?
- **Le déroulement du cours.** Y a-t-il une période de jeu au début de la classe pour que les chiens puissent se mêler les uns aux autres et se dépenser avant d'apprendre ? L'entraîneur aborde-t-il les commandements de base, comme « assis ! » et « reste ! », de manière amusante ? Les maîtres ont-ils le temps de poser des questions ? L'entraîneur distribue-t-il un cahier de notes à la fin du cours ?
- **La participation familiale.** L'entraîneur encourage-t-il les maîtres à emmener leurs enfants ou d'autres personnes pour qu'ils participent aux cours ?
- **Prêtez attention aux commentaires.** Les maîtres sont-ils détendus et semblent-ils apprécier le cours ? Leurs commentaires à la sortie de la classe sont-ils positifs ou négatifs ?

Appendice B

Nos cinq entraîneuses

Debi Davis, entraîneuse de chiens d'utilité
Tucson, Arizona
Site Web : www.clickertales.com
Courriel : Scripto@azstarnet.com

Donna Duford, propriétaire de la Companion Dog Training School, San Francisco, Californie
Courriel : donnaduford@aol.com

Susan Garrett
2780 Dunmark Road
Alberton (Ontario) LOR 1A0
Canada
Site Web : www.clickerdogs.com
Courriel : susan@clickerdogs.com

Terry Ryan, présidente de Legacy Canine Behavior and Training, Inc.
Sequim, Washington
Site Web : www.legacycanine.com
Courriel : teryan@olypen.com

Sue Sternberg, entraîneuse professionnelle et directrice de Rondout Valley Kennels, Inc.
Accord, New York
Site Web : www.suesternberg.com
Courriel : suecarmen@aol.com

Appendice C

Comment choisir un consultant en comportement et où le trouver

Choisir un consultant en comportement

Quand vous avez besoin d'une aide personnalisée pour modifier les comportements de votre chien, ou quand les questions d'entraînement deviennent trop complexes pour vous, faites appel à un spécialiste en comportement.

Cette démarche s'impose si votre chien :

- grogne, essaie de mordre ou vous fixe froidement quand vous le touchez, quand vous vous tenez au-dessus de lui, quand vous tentez de l'enlever d'où il est couché ou quand vous vous approchez de sa nourriture ou de ses jouets ;
- poursuit les gens ou les animaux, se rue sur eux, leur donne des coups de pattes ou les mord, ou s'il semble avoir une peur exagérée de tout ce qui l'entoure.

Choisissez un consultant qui :

- utilise des méthodes positives ;
- évite les promesses et les garanties ;
- accepte de voir votre chien ;
- a de bonnes références.

Où trouver un consultant en comportement canin

Renseignez-vous chez votre vétérinaire, chez les éleveurs, auprès des propriétaires de chenil ou à la Société protectrice des animaux de votre région. Consultez des amis, des voisins, des cercles de maîtres, l'annuaire téléphonique, etc.Site Web : www.skyhoundz.com

Table des matières

Appendice A

Appendice B

Appendice C

Achevé d'imprimer au Canada
sur les presses des Imprimeries Transcontinental Inc.